Taschenbücherei · Texte & Materialien

Herausgegeben von
Klaus-Ulrich Pech und Rainer Siegle

Das Nibelungenlied

Neu erzählt
von Franz Fühmann

mit Materialien,
zusammengestellt von Isolde Schnabel

Ernst Klett Schulbuchverlage
Stuttgart · Leipzig

Im Internet unter **www.klett.de/online** finden Sie zu dem Titel *Das Nibelungen-lied* einen Lektürekommentar, der methodisch-didaktische Hilfen und Anregun-gen enthält: Stundenplanungen, Lernzielvorschläge, Projektanregungen.
Geben Sie dort in das Feld »**ONLINE-Link**« folgende Nummer ein: **262610-0000**

1. Auflage

A 1 ^{13} ^{12} ^{11} ^{10} ^{9} | 20 19 18 17 16

Alle Drucke dieser Auflage sind unverändert und können im Unterricht nebenein-ander benutzt werden. Die letzte Zahl bezeichnet das Jahr dieses Druckes.

© Mit freundlicher Genehmigung der Hinstorff Verlags GmbH, Rostock, 2005.

Redaktion: Karin Pohle
Umschlaggestaltung und Layout: Sandra Schneider
Herstellung: Dea Hädicke
Satz: Annett Semmler
Umschlagfoto: Nibelungenfestspiele Worms 2005, Foto: Rudolf J. Uhrig

Reproduktion: Meyle + Müller, Medien-Management, Pforzheim
Druck: Beltz Bad Langensalza GmbH
Printed in Germany

ISBN-13: 978-3-12-262610-5
ISBN-10: 3-12-262610-1

9 783122 626105

Inhalt

N S IST. Inalten mæren.
wnds vil geseit. von heleden lobebæren. võ
grozer arbeit. von frevde vñ hochgeiten
von weinen vñ klagen. von kvner rec
ken striten. mvget ir nv wnd horen sa
gen. Ez whs mZvrgonden. ein vil edel
magedin. daz in allen landen. niht schon's
mohte sin. Chriemhilt geheizen. div wart
ein schone wip. dar vmbe mvsin degene
vil fliesen den lip. Ir pflagen dri kvni
ge. edel vñ rich. Gunther vñ Gernot. die
rechen lobelich. vñ Giselher d' iunge. ein weiheli degen. div frowe was ir sve
ster die helde heten mir pflegen. Ein richiv chunginne. fro' vie ir mve
lnez. ie was d' mer Daneut'. d'in div erbe liez. siz nach sine lebene. ein ellens
rich man. d'ovch insiner iugende. grozer eren vil gewan. Die heren wa
ren riter. von arde hoh erborn. mir kraft vñ mazen chvne. die rechen vz
erchoen. da zen Burgonden. so was ir lant genant. si frvmten starchiv wn
der. sit in fremden lant. Ze wormze bi dem rine. si wonten mir ir crist.
in dienten von ir landen. vil stolziv riterschaft. mir lobelichen eren. vnt
an ir endes zit. si sturben iæmerliche. sit von zweier frowen nit.

Die dri kunige waren. als ich gesaget han. von vil hohem ellen. ni waren
vndtan. ovch die besten rechen. von den man hat gesaget starch vñ
vil chvne. inscharpfen striten vn zaget. Daz was von moneg' hagne.
vñ ovch d' brud' sin. Danchwart d' snelle. von Mezzen Orwin. die zwene
marcgrauen. Geir vñ Eckewart. Volker von Alceye. mir gantem ellen wol be
wart. Rvmolt d' ch'vchen meist'. ein vz erwelter degen. Sindolt vñ Hvnolt
dise heren mvsin pflegen. des hoves vñ d' eren. d' drier kunige man.
si heten noch manigen rechen. des ich genennen nien kan. Danchwart
d' was marschalch. do was d' nefe sin. Trvhtsæzze des kuniges von mezzen
Orwin. Sindolt d' was schenche. ein weihlich degen. H vnolt was chamr

Wie Kriemhild am Hofe zu Worms aufwuchs

Uns ist in alten mæren   wunders vil geseit
von helden lobebæren,   von grôzer arebeit,
von fröuden, hôchgezîten,   von weinen und von klagen,
von küener recken strîten   muget ír nu wunder hœren sagen.

Viel Staunenswertes ist in den alten Geschichten auf uns gekommen: Kunde von hochberühmten Helden und ihren Taten und
ihrer Not, von Festesfreuden und Jammergeschrei und den Kämpfen der Kühnen, und wer mag, kann nun von all dem hören, es
werden aber wundersame Dinge darunter sein.
Es wuchs damals in Burgund ein Mädchen heran, das war so aus-
erlesen, dass man rings in den Landen kein schöneres an Wohl-
gestalt finden konnte, aber auch kein schöneres an Tugend und
Edelsinn. Viele Ritter begehrten sie zur Frau und alle Mädchen
beneideten sie. Sie hieß Kriemhild und drei edle und reiche Könige beschützten sie: Gunther, Gernot und der junge Giselher, das
waren ihre Brüder. Es waren dies freigebige Herren aus hohem
Geschlecht, unmäßig in ihrer Kraft und prächtige Haudegen, und
sie herrschten gemeinsam über ihr Land. Ihre Mutter hieß Ute,
ihr Vater hieß Dankrat, ihr Hof war zu Worms am Rhein und ihr
Gefolge waren die erprobtesten Streiter: Hagen von Tronje, sein
Bruder Dankwart, dann Ortwin von Metz, die hochberühmten
Markgrafen Gero und Eckewart, die vordem an der Elbe gegen
die Heiden gefochten hatten, der Spielmann Volker von Alzay, der
Küchenmeister Rumold, der Schenke Sindold und der Kämmerer
Hunold und viele andere, deren Namen heut keiner mehr kennt,
doch wenn man alle ihre Taten besingen wollte, würde ein Men-
schenleben dazu nicht ausreichen.
Eines Nachts träumte Kriemhild, sie zähme einen wilden und schönen Falken, da kämen mit einem Mal zwei Adler dahergeflogen und
zerfleischten den schönen Falken, und sie hätte nie etwas Grässli-
cheres gesehen. Diesen Traum erzählte sie ihrer Mutter Ute. Die
aber sprach: »Der Falke, den du da gezähmt hast, das ist ein schöner

und edler Mann, und Gott möge ihn wohl behüten, sonst verlierst
du ihn bald!« Da sprach Kriemhild. »Wenn Ihr solches von meinem Manne zu sagen wisst, liebste Mutter, dann will ich zeitlebens
ohne Liebe bleiben, auf dass ich niemals Leid erfahre. So werde ich
es fröhlich haben bis zum Tod!« Da sagte die Mutter: »Rede nicht
so daher, mein Kind, nur durch eines braven Ritters Liebe kannst
du deine Schönheit dereinst auch mit Glück und Freude krönen!«
Kriemhild aber bat die Mutter, stille zu sein, und verbannte seitdem
die Liebe aus ihrem Sinn, auf dass sie am Ende der Freuden nicht
Leid erfahre wie so viele andre Frauen. So wollte sie das Leid überlisten. Lange Zeit hielt sie es so, und doch werdet ihr sehen, dass
ein Held sie heimführt, und er wird ihr Falke aus dem Traum sein,
und ihre nächsten Verwandten werden ihn erschlagen, und daraus
wird eine Rache wachsen, die diesem einen Gemordeten noch vie-
ler Mütter Söhne ins Sterben nachschicken soll.

Wie Siegfried am Hofe zu Xanten aufwuchs

Dô wuohs in Niderlanden   eins edelen küneges kint,
des vater der hiez Sigemunt,   sîn muoter Sigelint,
in einer rîchen bürge,   wîten wol bekant,
nidene bî dem Rîne: diu was ze Sántén genant.

Damals wuchs in den Niederlanden ein Königssohn auf. Sein
Vater hieß Siegmund, seine Mutter hieß Sieglind, und seine Burg
war zu Xanten am Unterrhein. Sein Name war Siegfried, und er
war, obwohl noch jung, schon hochberühmt in allen Christen-
landen, denn Siegfried hatte tollkühne Abenteuer bestanden,
und alle Frauen schmachteten bewundernd zu ihm auf. Die erprobtesten Ritter wetteiferten, ihn zu unterweisen, und die vornehmsten Junker[1] aus nah und fern drängten sich in sein Gefolge, denn er galt mit Recht als eine Zierde des Reichs und aller
Ritterschaft.

---

1 junger Adliger

So war denn auch das Fest, das Siegmund und Sieglind zu ihres
Sohnes Schwertleite gaben, von noch nie gesehener Pracht. Wer
immer in diesem Sommer mündig wurde, das Schwert zu empfangen, wurde nach Xanten geladen, und das waren vierhundert
Knappen, und keiner war aus geringem Geschlecht. Die Feier-
lichkeiten währten volle sieben Tage; der Leibrock, den Siegfried
trug, strotzte von Goldstücken; die Messe im Münster war von
berauschendem Prunk; vom Getöse der Reiterspiele bebten die
Mauern des Bergfrieds und unter dem Andrang der Schaulusti-
gen brachen die Tribünen; nach dem Turnier funkelte das Gras
auf dem Kampfplatz von abgesprengten Edelsteinen, und wer damals arm an den Rhein gereist war, und wenn's der letzte Bären-
treiber oder Feuerfresser gewesen wäre, der zog als reicher Mann
wieder fort. Die Königin Sieglind wusste wohl, wie man sich und
den Seinen Freunde schafft, und streute das rote Gold mit vollen
Händen aus, dass es unerhört war, und Siegfried überschüttete
seine Festgefährten mit Lehen[2] und Landen, als wären es Splitter
vom Speer oder Schild. Viele Vasallen[3] hätten ihn darum gerne
als Herren gesehen und stachelten ihn auch an, seinen Eltern die
Krone zu entreißen. Siegfried aber lag solcher Ehrgeiz fern. Er
wollte das Schwert, das er sich nun um den Leib gürten durfte, zu
nichts anderem gebrauchen als zum Kampf gegen Unrecht und
Missetat.

---

2 erbliches Nutzrecht an Landgütern gegen Verpflichtung zu Treue und Kriegsdienst
3 Gefolgsmänner

Wie Siegfried nach Worms kam

Den herren muoten selten   deheiniu herzen leit.
er hôrte sagen mære   wie ein scœniu meit
wære in Búrgónden,   ze wunsche wol getân,
von der er sît vil vreuden   und ouch árbéit gewan.   5

Eines Tages hörte Siegfried, dass in Burgund eine Jungfrau lebe,
die sei schöner als alle Mädchen der Christenheit und weise doch
jeden ab, der ihre Hand begehre, und wäre es der Kaiser selbst. Da
dachte Siegfried, sie zu freien. Bis zu dieser Stunde hatte er noch
kein Herzeleid gekannt.   10
Siegmund und Sieglind erfuhren bald von Siegfrieds Absicht und
wurden bleich, denn sie kannten König Gunthers und der Seinen Hoffart[4], und sie kannten vor allem Hagen von Tronjes star-
ren Stolz. Siegfried aber wollte von seinem Willen nicht lassen. Er
sagte zu seiner Mutter: »Nie heirate ich eine andere als die, die ich   15
liebe, und ich liebe nun einmal Kriemhild. Kann ich sie nicht in
Freundschaft erringen, so werde ich es eben im Kampfe tun!«
»Lass solches Gerede, mein Sohn«, sagte da Siegmund aufgebracht
und ängstlich, »wenn das nach Worms getragen wird, kannst
du deine Hoffnung für immer begraben! Niemand ist mächtig   20
genug, Kriemhild mit Gewalt zu erobern, das ist bekannt. Aber
wenn du schon reiten willst und dir's nicht ausreden lässt, lieber
Sohn, dann reite wenigstens mit der stolzesten Heermacht; ich
will für dich aufbieten, wen immer ich dazu bewegen kann!«
Da lachte Siegfried und sagte: »Mein Vater, ich will Kriemhild   25
nicht mit Heeresmacht, ich will sie mit meinem Herzen erobern, und dazu genüge ich allein! Meinethalben will ich elf meiner Schwertleitgenossen zur Bedienung mitnehmen, mehr aber
nicht!« Da weinte Sieglind und sah ihren Sohn schon zerhauen
und auch die Mütter und Bräute der elf Auserwählten weinten   30
und jammerten sehr. Siegfried aber sprach: »Seid unbesorgt und
weinet nicht, wir kommen alle heil zurück! Schafft uns, statt dass

---

4 Hochmut

Ihr weint, lieber Kleider und Waffen wie sie noch kein Ritter getragen, damit wir zu Worms Ehre für unser Land einlegen! Kein Stern soll heller strahlen als meine Schar beim ersten Ritt in die Welt!«

Da wurde Tag und Nacht gewebt und gewirkt und gehämmert und gekettet und geschmiedet, und nie waren schließlich Gewänder so kostbar und Brünnen so blitzend und Helme so fest und Schilde so breit und dennoch schön! Das Zaumzeug der Rosse war schieres Gold und ihr Riemenzeug reine Seide; die Schwerter reichten den Helden bis zu den Sporen und die geschliffene Spitze an Siegfrieds Speer war zwei Handspannen lang. So zogen die Helden nach Burgund, und überall auf dem Weg lief das Volk zusammen und starrte sie an, denn solche stattlichen Helden hatte man noch nie gesehen.

Nach einer Woche kamen die zwölf nach Worms und auch dort lief das Volk zusammen und staunte. Die Ritter und Knappen des Hofdienstes traten, wie es sich geziemte, zu den Fremden und nahmen ihnen die Schilde und die Pferde ab. Da sie aber die Pferde in den Stall führen wollten, sprach Siegfried: »Lasst die Tiere nur stehen, wir reisen bald weiter; sagt mir nur, wo ich euren hochmächtigen König Gunther finden kann!«

Man wies ihm den Weg zum Saal; doch schneller als der Gast kam die Kunde von ihm und seiner Pracht vor den König. Der wollte gerne wissen, wer die Gäste seien, aber niemand kannte sie. Schließlich riet Ortwin von Metz, seinen Onkel, den viel gereisten Hagen von Tronje zu fragen, der kenne alle Helden der Christenheit. Man sandte nach ihm und der treue Ritter eilte mit seinen Mannen zur Burg und erkundigte sich nach des Königs Wünschen. Da er sie erfuhr, blickte er lange aus dem Fenster auf Siegfried und dessen Schar, die sich im Burghof versammelte, und sagte schließlich: »Ich kenne die Fremden nicht, doch ich glaube, ihr Führer ist Siegfried. Ich habe ihn zwar noch nie gesehen, allein dem Aussehen nach kann es nur Siegfried sein!«

»Siegfried der Drachentöter?«, fragte König Giselher.

»Ich glaube, dass er es ist«, sagte Hagen.

»Was wisst Ihr von ihm, Freund Hagen?«, fragte König Gunther.

»Man kann ihn nicht töten«, sagte Hagen, »seine Haut ist vollständig mit Horn überzogen. Er hat sich im Blut des erschlagenen Drachen gebadet, da ist ihm ein Panzer gewachsen, der ihn unverwundbar macht. Außerdem besitzt er die Tarnhaut, mit der er sich jedem Blick entziehen kann, die hat er dem Zwerg Alberich abgenommen, dem Hüter des Nibelungenhorts, und er besitzt auch das Schwert Balmung, das schärfste aller Schwerter, die je ein Held geschwungen hat!«

»Was ist das für ein Hort?«, fragte König Gunther.

»Er liegt in einem Berg zu Nebelheim verschlossen«, sagte Hagen, »und er ist der größte Schatz, der jemals zusammengetragen ward. Hundert Trosswagen könnten allein sein Edelgestein nicht fassen, und das rote Gold zählt keiner, dazu reichen die Zahlen nicht aus. Dieser Schatz gehörte zwei Brüdern, Schilbung und Nibelung, die lagen in Zwist miteinander und riefen Siegfried an, den Schatz zwischen ihnen zu teilen, und sie schenkten ihm vorab auch das scharfe Schwert Balmung dafür. Aber auch Siegfried konnte das Gold nicht zählen; darüber kamen sie in Streit, und Siegfried erschlug die beiden und siebenhundert ihrer Mannen, die mit ihm kämpften, und zwölf Riesen, die mit ihnen verbündet waren, und tausend Zwerge Alberichs. Dann musste der Gnomenfürst und der Rest der Nibelungen ihrem Überwinder Treue schwören und seitdem bewachen sie als Siegfrieds Vasallen den Hort.«

»Und der Hort liegt in einem Berg vergraben?«, fragte König Gunther.

»In einem Berg hinterm Eisland im nördlichsten Norden, wo die Sonne nicht scheint und die Erde nicht grünt«, sagte Hagen, »und er ist der mächtigste Hort, den ein Mensch je besaß!«

»Was ratet Ihr uns zu tun?«, fragte König Gunther, der zu Hagen getreten war und in den Hof hinabsah.

»Ich rate, Siegfried wohl zu empfangen«, erwiderte Hagen, »wir sollten alles daransetzen, uns einen Recken wie ihn nicht zum Feind zu machen!«

»Soll ich ihm etwa entgegengehen?«, fragte König Gunther.

»Ihr würdet Euch nichts damit vergeben, König Gunther«, sagte Hagen, »denn Siegfried ist ein Königssohn!«

So wurde denn Siegfried mit den höchsten Ehren empfangen; der König ging ihm entgegen und führte ihn am Arm in den Saal und die Ritter verbeugten sich vor ihm.

»Ich habe nicht die Ehre zu wissen«, sprach König Gunther, noch während sie durch den Saal schritten, »ich habe nicht die Ehre zu wissen, was Euch nach Worms an den Rhein führt und an meinen Hof, edler Siegfried! Wirklich, ich wäre Euch sehr gewogen, wenn Ihr meine Neugierde stilltet und mir aufrichtig sagtet, warum Ihr hergekommen seid, damit ich all Eure Wünsche erfüllen kann!«

»Das will ich gern tun, König Gunther«, sagte Siegfried, »ich bin hierher gekommen, um Euch Euer Land abzunehmen! Bei uns in Xanten geht das Gerücht um, Ihr wäret der Tapferste stromauf und stromnieder, und die edelsten Recken ständen deshalb bei Euch im Dienst! Nun gut, auch ich bin tapfer und eine Krone stünde mir schon heute wohl an; ich will darum Eure Tapferkeit erproben und mit Euch um Burgund kämpfen, dass ich drüber herrsche, denn es gefällt mir mit seinen Städten und Burgen!«

Solche plumpe Rede war ganz unglaublich in gesitteten Landen, und König Gunther und seine Herren dachten, sie hätten nicht richtig gehört. Hatte dieser hergelaufene Flegel da wirklich gesagt, er wünsche dem König das Land wegzunehmen? Die Herren begannen zu murren und König Gunther fragte verdutzt: »Warum sollte ich denn um etwas kämpfen, was mir rechtens gehört, da es schon meinem Vater rechtens gehört hat? Da liegt doch wahrhaftig kein Sinn darin!«

So redete König Gunther; allein Siegfried sprach: »Mein Wort ist doch leicht zu verstehn, König Gunther: Wir tun einfach unsere Reiche zusammen und machen eines daraus, ein Reich und eine Krone, und dann kämpfen wir widereinander, und wer siegt, soll das Ganze besitzen, Menschen und Land!«

Da murrten die Krieger sehr, aber Gernot sprach: »Warum sollen wir wohl miteinander kämpfen, vieledler Siegfried? Wäre es nicht schade um jeden Tropfen ritterlichen Blutes? Unsre Länder sind reich und jedes kann einem König wohl genügen. Lass uns also Frieden wahren!«

Solche Reden missfielen den Rittern und Ortwin von Metz sagte aufgebracht: »Was begütigt Ihr diesen überheblichen Fant[5], König Gernot? Mit einem wie ihm und einem Heer seinesgleichen nehme ich's noch immer allein auf! Wir wollen hier in Burgund solche Schmach nicht dulden!« Da packte den jungen, frisch geweihten Ritter Siegfried der Zorn, dass einer ihm so schnöd widersprach. »Wie wagst du mit mir zu reden!«, fuhr er drum auf, »ich bin eines Königs Sohn, du aber nur eines Königs Diener, wie könntest du dich da vermessen, die Waffe wider mich zu erheben! Aber tritt nur an, deiner zwölf erledige ich im Handumdrehen!«

Da rief Ortwin von Metz seinen Knappen zu, ihm Schwert und Schild zu bringen, und König Gunther blickte unentschlossen auf Hagen und dachte, der Tronjer würde zum Kampfe rufen, allein der Tronjer stand finster und blieb unbewegt und stumm. König Gernot aber vermittelte ein zweites Mal: »Wollet Euch mäßigen, Herr Ortwin«, sprach er, »noch hat uns Siegfried nicht derart gekränkt, dass wir nicht länger verhandeln dürften, und was könnte uns größeren Ruhm einbringen als des vieledlen Siegfrieds Freundschaft?« Hagen aber sagte zu Siegfried: »Warum habt Ihr das getan? Ihr seid nach Worms gekommen, um Streit zu suchen. Weiß Gott, was daraus werden kann. Meine Herren gaben Euch keinen Anlass dazu!«

»Oh«, sagte Siegfried, »wenn Euch meine Worte nicht gefallen, so werdet Ihr Euch doch meine Herrschaft gefallen lassen müssen. Ich will Euch alle mit Gewalt unterkriegen!«

»Kein Wort dawider, ihr Herren«, rief König Gernot und trat rasch zu Siegfried und rief dabei: »Ich schlichte es alleine, mischt Euch nicht ein!« In diesem Augenblick dachte Siegfried, dass er ja gekommen sei, um Kriemhilds Liebe zu erringen, und er begriff selbst nicht, welche wilde Lust da durch seinen Ritteranstand gebrochen war.

---

5 unreifer, junger Bursche

»Überlegt doch, edler Siegfried, tapferster und kühnster aller Ritter«, so redete indes König Gernot, »wem sollte ein Streit zwischen uns dann nützen? Die Besten würden in ihrem Blut liegen und wir hätten wenig Ehre davon und Ihr wenig Gewinn! Lasst uns darum friedlich teilen: Ihr sollt mit uns leben wie unser Bruder, und alles, was unser ist, soll auch Euer sein, wenn Ihr es nur in Ehren fordert!«

»So soll es sein und darauf wollen wir trinken!«, rief nun auch König Gunther, und die Knappen schenkten Wein ein und Siegfried war besänftigt und trank. So schlossen sie Blutsbrüderschaft. Von dieser Stunde an war Siegfried ein lieber Gast im Land der Burgunder; die edelsten Junker drängten sich in seine Dienste und alle Frauen bewunderten ihn. Sogar Kriemhild sprach freundlich mit ihren Gespielinnen von dem jungen Gast aus den Niederlanden. Sie hatte ihn einmal vom Fenster ihres Gemachs beim Turnier gesehen, und seitdem blickte sie stets aus dem Fenster, wenn Siegfried kämpfte, aber sie schaute auch zu anderer Stunde oft in den Hof hinab und wartete, ob Siegfried sich zeige. Siegfried aber dachte, wie er sich Kriemhild wohl nahen könne, denn er hatte sie, wie es Brauch war, noch nicht zu Gesicht bekommen, und das machte ihm Gram. Aber auch Kriemhild war traurig, wenn Siegfried, von Jagden oder Fahrten abgehalten, längere Zeit nicht in Worms war. Darüber verging ein ganzes Jahr.

Wie Siegfried mit den Sachsen stritt

Nu nâhten vremdiu mœre   in Gúnthéres lant,
von boten die in verre   wurden dar gesant
von únkúnden recken   die in truogen haz.
dô si die rede vernâmen,   leit was in wœrliche daz.

Eines Tages nun sandten die Könige der damals verbündeten
Sachsen und Dänen, die Brüder Liudeger und Liudegast, König
Gunther die schlimme Botschaft, er habe zwölf Wochen Zeit, sich
zu wappnen, dann bräche das Bruderpaar voll Zorn und Hass
ins burgundische Land, es zu verheeren und zu unterwerfen, und
wenn König Gunther dem wehren wolle, möge er sich eilends zu
Verhandlungen ins Sachsenland auf den Weg machen, wozu man
übrigens dringend rate, denn die Macht der vereinigten Heere
sei unermesslich. Die Boten überbrachten diese Nachricht voll
Sorge, dass sie darob geschlagen oder gar gefangen gesetzt würden; sie hatten sich anfangs sogar nicht in die Burg getraut und
ihre Kunde unters Volk gestreut, damit sie von da aus an den Hof
dringe. Allein König Gunther wusste, was sich ziemte, und tat
den Herolden kein Leid und bewirtete sie nach allen Maßen der
Höfischkeit. Er brachte sie auch in den besten Quartieren der
Stadt unter, denn was die Antwort anbetraf, hatte er sich Bedenk-
zeit ausgebeten.
König Gunther machte sich nichts darüber vor, dass es schlimm
um ihn stand, und er bat Hagen und Gernot zur Beratung. Die
hatten bereits seltsame Gerüchte vernommen und kamen eilends
mit ihren vertrautesten Herren. Gernot sagte tapfer: »Wenn es
nun einmal sein muss, dann wollen wir uns schlagen wie brave
Ritter und die Herausforderung annehmen! Verhandeln wäre
ehrlos und ein Feldzug sollte uns nicht schrecken; es stirbt ja keiner, dem der Tod nicht bestimmt ist!«
Hagen aber sprach: »Das sind ungute Worte, König Gernot. Liudeger und Liudegast sind mächtige Feinde und sie haben lange
auf diesen Tag hingearbeitet. Sie sind gerüstet und unser Heer-

bann ist zerstreut. In zwölf Wochen können wir ihn niemals sammeln. Wir sollten darum Siegfried zu Rate ziehen.«

Das tat König Gunther. Siegfried war sehr erstaunt, als er hörte, worum es sich handelte. »Weshalb habt Ihr nicht sofort nach mir gesandt, König Gunther?«, fragte er aufgebracht. »Vertraut Ihr mir nicht mehr?« – »Ich habe mein Leid von deinem Frohgemut fernhalten wollen«, erwiderte König Gunther. Da wurde Siegfried bleich und dann gleich wieder rot vor Erregung und er sagte zu König Gunther: »Was wäre das für ein Ritter, der sich scheute, nach der Freude nun auch das Leid mit dem Bruder zu teilen! Wahrhaftig, Ihr denkt nicht gut von mir, König Gunther!«

Dennoch war Siegfried sofort zur Hilfe bereit. »Mögen auch ihrer dreißigtausend anrücken«, so sprach er, »ich nehme es mit ihnen auf, wenn Ihr mir nur tausend Mann mitgeben könntet, König Gunther, und auch um die würde ich nicht bitten, hätte ich mehr als nur elf meiner Kameraden bei mir! Tausend Mann könnt Ihr auch in kurzer Frist versammeln, und wenn sich noch Hagen von Tronje und Ortwin von Metz zur Verfügung stellten, nach Möglichkeit auch noch die Herren Dankwart und Sindold und Volker von Alzay als Fahnenträger, so könnt Ihr um Burgund ohne Sorge sein! Des Feindes Fuß soll seine Fluren[6] nie betreten!«

Es geschah so, wie Siegfried geraten, und das Burgunderheer setzte sich in Marsch. An seiner Spitze stand König Gernot; Quartiermeister war Hagen von Tronje; Fahnenträger Volker von Alzay; Führer der Nachhut Ortwin von Metz, und Feldherr und damit auch Führer der Vorhut und erster Kundschafter war Siegfried von den Niederlanden. König Gunther blieb in Worms zurück. Das Heer zog über Hessen hinauf nach Sachsen, das war derselbe Weg, den später der edle Herrscher der Christenheit, der große Karl, gezogen ist. Beim Abschied flossen viele Tränen und kummervolle Sorge herrschte in Worms, was die kleine Truppe gegen die verbündeten Heere des Nordens wohl ausrichten könnte. Am meisten von allen bangte Kriemhild.

---

6 Boden

Nach wenigen Tagen hatte die Kriegsschar die Grenze erreicht. Hier wurde der Tross zurückgeschickt, denn von nun an hatte, wie es der Brauch war, das Feindesland das Heer zu ernähren, und was Mann und Ross nicht verzehrten, wurde, wie es ebenfalls Brauch war, zerstampft und verbrannt, damit die feindlichen Könige die Not des Kriegs geziemend verspürten. So zogen denn die Helden eine Spur aus Asche und Blut hinter sich her; Dörfer und Fluren gingen in Flammen auf, die Saaten wurden versehrt, die Burgen geschleift, die Mühlen zertrümmert, die Wehre zerhauen, und es war ein solches Wüsten und Brennen, dass man in Worms noch lange davon zu erzählen hatte. Indes musste man jede Stunde gewärtig sein, auf den Gegner zu stoßen, und so ritt Siegfried zur Kundschaft aus. Er ritt allein ins feindliche Land, und wer ihm in den Weg trat, sank schnell aus dem Leben. Er war noch nicht lange unterwegs, da sah er auf einer weit gewellten Heide das Heer der Dänen und der Sachsen. Es waren ihrer vierzigtausend, vielleicht auch noch mehr. Da jauchzte des jungen Helden Herz. Zum ersten Mal stand er vor dem Feind!

Nun war auch vom Heer der Gegner ein Kundschafter unterwegs, und das war kein anderer als König Liudegast von Dänemark. Sein Schild war aus purem Gold. Bald stießen die Späher aufeinander. Beim Anblick des andern hieb jeder seinem Ross die Sporen in die Weichen; jeder zersplitterte Klinge und Lanzenschaft am Schild des Gegners, der Flug der Renner war aber so ungestüm, dass die beiden dennoch aneinander vorübersausten, als rauschte Wind gegen Wind. Sie rissen ihre Pferde herum und nun schmetterten die Schwerter aufeinander, und unter ihren Streichen sprühten Flammen. König Liudegast wehrte sich tapfer und brachte Siegfried in harte Bedrängnis, schließlich aber sank er, von drei schweren Wunden zerklüftet, aus dem Sattel und musste sich und sein Land dem Überwinder ergeben. Siegfried wollte den König eben als Gefangenen zum Oberbefehlshaber bringen, da stoben dreißig dänische Ritter heran und fielen über den Helden her.

Es waren ihrer dreißig und Siegfried war allein, und gerade das war nach seinem Sinn. Neunundzwanzig erschlug er und den

dreißigsten ließ er am Leben, dass er die Nachricht von Liudegasts Gefangennahme seinem Heerführer überbringe, und der
war König Liudeger. Der blutverkrustete Helm des dänischen
Ritters war Beweis genug für dessen Tapferkeit, dennoch tobte
König Liudeger vor Zorn, als er hörte, dass ein einziger Kämpfer
Burgunds dreißig Dänen besiegt und ihren König in die Gefan-
genschaft abgeführt hatte. Er wusste nicht, dass Siegfried im Feld
stand, und glaubte, dieser Held sei König Gernot gewesen. »Gewiss, Gernot ist tapfer und kühn«, rief Luideger, »aber er wiegt
niemals dreißig Mann auf! Das geht nicht mit rechten Dingen
zu!« Er schwor, Gernot zum Kampf zu stellen und ihn zu über-
winden, dann befahl er aufzusitzen und zum Zeichen des An-
griffs die Fahnentücher an die Stöcke zu binden. Zur gleichen
Zeit erhob auch bei den Burgundern Herr Volker von Alzay die
Fahne. Da rannten die Heere widereinander und ein Schlachten
hob an, dass der Himmel erdröhnte und kein Halm auf der Heide
mehr grün und heil blieb. Rotes Blut floss aus den Helmen und
Brünnen[7] und strömte in Bächen über die Sättel, und die Erde
wurde morastig davon.

König Liudeger suchte Gernot. Er sah, dass ein burgundischer
Ritter mit einem Schwert eine Gasse durch die Reihe seiner Gegner hieb, und versuchte, sich zu ihm durchzuschlagen. Er brauchte viele Stunden, bis ihm das gelang, und in dieser Zeit sanken
Hunderte tapfere Krieger ins Gras, denn die Burgunder wie die
Sachsen und Dänen fochten mit größter Erbitterung. Schließlich hatte König Liudeger den Ritter, den er für König Gernot
hielt, erreicht, und da erkannte er Siegfrieds Wappen: eine goldene Krone auf blauem Grund. Nun befahl er sofort, den Kampf
abzubrechen. »Wer sich solch einem Gegner ergibt, ergibt sich in
Ehren!«, sprach er. Und er fügte hinzu: »Den hat der Teufel selbst
nach Sachsen geschickt!«

Boten ritten den Siegern voraus. In Worms aber hatte man mit
einer schnellen Niederlage gerechnet und darum durchsauste
Entsetzen die Stadt, als schon nach wenigen Wochen ein gepan-

---

7 Nackenschutz, Teil der Rüstung

zerter Reiter auf ihre Mauern zuraste. Als sich aber die Kunde von dem glänzenden Sieg verbreitet hatte, war auf den Straßen wie in der Burg des Jubels kein Ende mehr.

Kriemhild ließ den Boten, nachdem er im Saal König Gunther Bericht erstattet hatte und sich gerade zur Ruhe begeben wollte, heimlich abfangen und in ihr Gemach vor dem Bergfried führen. Sie wollte ihm dort eigentlich nur eine einzige Frage stellen, die Frage, die ihre Brust zerbrannte: Lebt Siegfried? Allein die Zucht verbot, dies ohne Umschweife zu fragen und solcherart sein Herz zu entblößen, und selbst die vertrautesten Kammerfrauen achteten streng auf Sittsamkeit. Also fragte Kriemhild den Boten scheinbar gelassen aus, wie es der Brauch war. Zunächst versprach sie ihm reiche Belohnung, wenn er gute Kunde bringe und wahr spreche und höchst genau erzähle, und der Bote, der drei Tage und Nächte im Sattel gesessen hatte, sagte dies mit einer vor Müdigkeit rauen Stimme zu. Er hätte gern erklärt, dass es jetzt seine größte Belohnung wäre, sich auf den blanken Estrich legen und schlafen zu dürfen. Allein die Zucht gebot ihm, in artiger Haltung stehend auszuharren, und also harrte er in artiger Haltung aus.

»Mich verlangt sehr zu wissen, vieledler Ritter, ob unser glorreiches Heer den Sieg über die grimmigen Dänen und Sachsen errungen hat«, begann Kriemhild zu fragen.

»Unser glorreiches Heer hat über die grimmigen Dänen und Sachsen gesiegt, obwohl es ihrer sechzigtausend gewesen sind, vierzigtausend Sachsen und zwanzigtausend Dänen, und dem Herren des Himmels und der Erde sei Dank dafür!«, erwiderte der Bote. »Unzählige Leiber des Feinds bedecken die Walstatt[8], vieltausend Frauen im Sachsenland und im Dänenland weinen und schluchzen um ihre Toten, und die stolzen Könige Liudeger und Liudegast, die so freventlich den Frieden gebrochen, ziehn durch den Staub als Gefangene nach Worms!«

»Und unsere Heere, hatten sie viele Verluste?«, fragte Kriemhild.

»Nur wenige Frauen und Mütter Burgunds werden trauern«, ent-

---

8 Schlachtfeld

gegnete der Bote, »es sind ihrer nicht mehr als sechzig, die wir ins Feindesland haben betten gemusst!«

»Und wäre es nur einer, seiner Liebsten wäre es Leid ohne Maßen«, sagte Kriemhild.

»Das ist Kriegerlos«, sagte der Bote.

Er war müde und das Kinn fiel ihm auf den Panzer. Kriemhild aber achtete nicht darauf.

»Sag mir doch«, so fuhr sie fort zu fragen, »wer sich von unseren Recken besonders gut geschlagen hat, damit wir Frauen ihn gebührend ehren!«

»Es war kein Feigling im Heer von Burgund, edle Königin«, erwiderte der Bote, »es haben alle ihrer Ritterpflicht genügt!«

»Dies gereicht unserem Land zur Ehre«, erwiderte Kriemhild, »aber hat sich denn keiner besonders hervorgetan?«

»Euer Bruder Gernot hat wie ein Löwe gekämpft«, erwiderte der Bote und konnte vor Müdigkeit kaum mehr die Lippen bewegen, »er hat das Heer zum Hauptstoß geführt und einen Keil in das Sachsenheer getrieben wie das scharfe Beil in den Eichenstamm!«

»Und taten es ihm andere gleich?«, fragte Kriemhild.

»Der edle Herr Hagen war nicht minder tapfer als König Gernot und hat dem Feind mächtiges Unheil gebracht«, sagte der Bote, »und wie er fochten Ortwin von Metz und Volker von Alzay, doch auch die Herren Dankwart und Hunold und Sindold und Rumbold haben Bäche von Blut aus den Helmen der Gegner geschlagen! Am heldenhaftesten von allen aber hat Siegfried gekämpft!«

»Der junge Held von den Niederlanden?«, fragte Kriemhild und nahm alle Kraft zusammen, so unbeteiligt zu scheinen, wie es sich geziemte.

»Held Siegfried der Drachentöter, der Sohn König Siegmunds und der Königin Sieglind von Xanten am Rhein«, antwortete der Bote, indes vor seinem müden Blick der Saal zu verschwimmen begann.

»Und blieb er unverwundet, der edle Siegfried?«, fragte Kriemhild und ihre Stimme zitterte.

»Er reitet heil und glänzend wie der Morgenstern an der Spitze des Heeres nach Worms zurück«, erwiderte der Bote.

»Er lebt!«, schrie da Kriemhild und Tränen schossen ihr aus den Augen, »er lebt, er lebt, der Jungfrau Maria sei Dank, er lebt!« Dies war höchst unziemlich, allein Kriemhild vermochte nicht anders, es hätte ihr sonst das Herz zersprengt. Dieser Springquell der Freude erquickte den Boten derart, dass er nun so lebendig, als hielte er wieder auf der Diepholzer Heide, von Siegfried und den Tausendundelf Taten zu erzählen begann, vom Ausritt durch Hessen und der Gefangennahme König Liudegasts bis zum Senken der Fahnen durch König Liudeger. »Wir haben den Glanz der dänischen Helme mit Blut getüncht und das Blitzen der sächsischen Brünnen mit Blut weggewaschen!«, rief er aus, und Kriemhild hörte dies alles mit glühendem Gesicht und ihr Herz war voll Glück.

»Du hast uns allen eine frohe Kunde gebracht«, sagte sie, als der Bote geendet hatte, und sie versprach ihm dafür ein schönes Gewand und zehn Mark rotes Barrengold, das waren geprägt mehr Münzen, als das Heer der Burgunder Krieger gezählt. Dies war ein königliches Geschenk für eine Nachricht, bei der man noch nicht einmal hatte lügen müssen, doch ehe der Bote es entgegennehmen konnte, hatte ihn die Müdigkeit überwältigt und er war im Stehen eingeschlafen.

Kriemhild aber und ihre Gefährtinnen eilten die Wendeltreppe hinauf zur Plattform des Turmes und spähten über die Straßen, die von frischem Grün und Blumen und wehenden Fahnen überquollen, und da ritt auch schon die Vorhut des siegreichen Heeres heran, und an ihrer Spitze ritt König Gernot, und hinter ihm ritten Hagen von Tronje und Siegfried von den Niederlanden und die Herren Dankwart und Ortwin von Metz und Rumold und Sindold und Hunold und Volker von Alzay mit der wehenden Fahne, und hinter ihnen ritten, erschöpft und müde, aber von Stolz gestrafft, die gepanzerten Krieger, und in ihrer Mitte ritten die besiegten Könige Liudegast und Liudeger und fünfhundert ihrer edelsten Herren, und schließlich folgten im Tross die Bahrwagen mit den Verwundeten und die Packwagen mit den getürm-

ten Stapeln zerhauener Helme und zerscharteter Schilde und am
Ende des Zugs, von auserwählten Knappen geführt, die herrenlo-
sen Leibpferde der Gefallenen. So zogen die Sieger zu König Gunthers Burg und der König eilte ihnen in den Hof entgegen und
empfing sie überaus freundlich und huldvoll. Die Besiegten warfen sich vor ihm auf die Knie und gelobten, für standesgemäßes
Quartier und gnädige Behandlung auch gemessen zu bezahlen,
und König Gunther war, wie es sich für einen gesitteten Herrscher der Christenheit ziemte, gütig zu seinen Gegnern und bot
ihnen ehrenvolle Gastfreundschaft bis zur Auslösung nach dem
Friedensschluss an, ja er setzte sie sogar gegen ihr Ehrenwort, keinen Fluchtversuch zu unternehmen, auf freien Fuß.
Der König sorgte sich gebührend um seine Mannen. Den Verwundeten, auch den verwundeten Feinden, ließ er die beste Pfle-
ge gedeihen und er bezahlte die Heilkundigen seines Hofes wohl,
dass sie wirksam hülfen. Den Kriegern wurde als Quartier eine eigene Zeltstadt errichtet und man bewirtete sie auch werktags mit
Met und Wein. Die Stadt wimmelte von Gästen, burgundischen
wie fremden, und trotz der großen Lasten wurde aufs trefflichste
für sie alle gesorgt. Doch König Gunther dünkte dies alles noch
viel zu wenig, die Sieger zu ehren. Er gedachte ein großes Fest zu
feiern, jedoch zur Vorbereitung brauchte er Zeit. So beurlaubte
er seine Herren für sechzig Tage, damit jeder Gelegenheit habe,
daheim nach dem Rechten zu sehen und Haus und Hof wohl
zu bestellen, hernach sollte jeder zum Siegesfest geladen sein. Als
Siegfried davon erfuhr, wollte auch er Urlaub nehmen, um den
Seinen in Xanten zu melden, dass er und seine Kameraden heil
geblieben seien, so wie er es bei der Abreise vorausgesagt hatte.
Allein König Gunther fürchtete, dass Siegfried nicht mehr nach
Worms zurückkehren könnte, wenn ihm ein lockendes Abenteuer über den Weg lief, und so bat er den jungen Helden zu bleiben, und Siegfried stimmte um Kriemhilds willen zu. Er hoffte sie
nun endlich nach so langer Zeit einmal zu sehen. Allein er sah sie
doch nicht, ehe das Siegesfest begann. Dann allerdings sollte sie
ihn küssen und es sollte Grässliches daraus entstehn.

Wie Siegfried Kriemhild zum ersten Mal sah

Man sach si tägelîchen   nu rîten an den Rîn,
die zer hôhgezîte   gerne wolden sîn.
die durch des küneges liebe   kômen in daz lant,
den bôt man sumelîchen   ross und hêrlîch gewant.   5

Da sich die Kunde von König Gunthers Siegesfest ausbreitete,
strömten tagaus, tagein die Ritter ins burgundische Land. Der
junge Giselher war bestellt, sie würdig zu empfangen, und er
und sein Bruder Gernot, der ihm dabei half, vergönnten sich
darüber nicht Ruhe noch Rast. Es kamen allein zweiunddreißig   10
Fürsten und über fünftausend andre Gäste aus berühmten Ge-
schlechtern, doch Quartier und Tafel waren selbst diesem Andrang gewachsen, und jeder der sich einfand, erhielt zum Willkommen ein Pferd und ein prächtiges Gewand. Von der Burg
breitete sich die Feststimmung über die Stadt aus wie der Schall   15
von Glocken. Viele, die vor kurzem noch ob ihrer Wunden ge-
stöhnt, eilten nun wieder wohlgemut herbei, und mancher, der
noch nicht genesen war, ergötzte sich vom Krankenbett aus an
der bunten Freude. Freilich gab es auch einige, die dafür noch zu
sehr litten, doch ihr kleines Leid verging in der großen Glück-   20
seligkeit.
Die Frauen putzten[9] sich um die Wette und kramten die kostbarsten Kleider aus ihren Truhen. Sie hofften inbrünstig, ihr Aufwand würde nicht vergeblich sein, und der König werde erlau-
ben, dass sie sich zeigten. Auch alle Ritter erhofften das. Sie hatten   25
viele der Mädchen noch nie zu Gesicht bekommen und schwelg-
ten in Träumen, wie sie die Aufmerksamkeit der Schönsten wohl
auf sich ziehen könnten.
Herr Ortwin von Metz machte sich zum Sprecher all dieser Hoff-
nungen. Er sagte zu König Gunther: »Was könnte Euer Sieges-   30
fest besser zieren als ein Reigen der schönen Frauen? Könnte es
denn einen freudevolleren Anblick für einen Krieger geben? Wie

---

9   im Sinne von: herausputzen, sich schön machen

viel Schönheit ist im Verborgenen erblüht! Erlaubt, dass sie sich zeigen!«

Nun war es König Gunther nicht entgangen, dass Siegfried oft von Kriemhild schwärmte, obwohl er sie noch nie gesehen. Darum stimmte der König sofort Herrn Ortwin zu. Er dachte auf diese Weise den Helden aus den Niederlanden inniger an Burgund zu binden. So wurden denn Frau Ute und Kriemhild mit ihren Kammerfrauen und Gespielinnen zum Fest entboten und König Gunther stellte seiner Schwester hundert Ritter mit blankem Schwert als Ehrengarde.

Das Fest begann zu Pfingsten, und herrlicher als das Morgenrot, das im Frühjahr aus dem Nachtgewölk tritt, trat Kriemhild aus den Mauern ihres Palas[10], von hundert der edelsten Krieger geleitet und von hundert der edelsten Jungfrauen umkränzt. Vier Fürsten trugen die Schleppe ihres golddurchwirkten, das blaue Gewand weiß umwallenden Mantels, dessen Faltung sie mit zwei Fingern aufs zierlichste raffte, wie es die Sitte gebot. Sie schritt langsam und ihr Rock unter dem breiten Perlengürtel schwang feierlich wie eine große wandelnde Glocke. Die Seide von Mantel und Kleid war mit Edelsteinen übersät wie der Himmel mit Sternen. Am klarsten aber blinkten ihre Augen. Ihr Gesicht war wie eine Blume. Jedem, der sie erblickte, verflog aller Kummer und noch die grämigsten Mienen wurden licht. Nur Siegfried, da er die Königin sah, erschrak im tiefsten Herzen und aller Mut verließ ihn. Wie könnte es je geschehen, dass solch ein Wunder mich liebte und mich umfinge?, dachte er, ich bin ja gar nicht würdig, meine Augen zu ihr aufzuheben! O hätte ich sie nur nie erblickt! Wie könnte ich fortan ohne sie leben! Am besten wäre es gewesen, es hätte mich eine Klinge niedergestreckt! O wie eitel und töricht ist doch all mein Begehren! O mein Gott, was soll denn nun werden aus mir?

Dies dachte Siegfried im tiefsten Herzen und er stand regungslos, als wäre er auf Pergament gemalt, und er war auch wie ein edles Bild des Bewunderns wert. Die andern Ritter aber umdrängten

---

10 Palast

die Frauen und das Gedränge war groß, denn jeder wollte sie nahe sehen. Da sprach Gernot zu seinem Bruder Gunther: »Lieber Bruder, Ihr solltet Siegfrieds Hilfetat mit der höchsten Ehre vergelten! Kriemhild, die bisher noch mit keinem Mann gesprochen hat, möge ihm als Ersten von allen Rittern den Willkommensgruß entbieten! Damit wird er uns gewisslich auf immer gewogen und gewonnen sein.« Da sandte König Gunther seinen ersten Vasallen Hagen von Tronje aus, Siegfried vor die Königin zu bitten. Als Siegfried dies hörte, wusste er nicht, wie ihm geschah, und in seinem Herzen war Glück ohne Leid. Er trat vor Kriemhild, doch er wagte nicht mehr, sie anzublicken. Die Königin aber sagte, wie es die Sitte gebot: »Seid mir willkommen, Herr Siegfried, guter, edler Ritter.« Da wurde Siegfried über und über rot, und er verneigte sich tief vor der Schönen, und sie fasste, wie es der Brauch war, seine Hand, damit er sie durchs Spalier der Neugier zum Spaziergang geleite. Plötzlich, als sie so dahingingen, fühlte Siegfried seine Hand gedrückt. Da wagte er, Kriemhild anzuschauen, und da sah er, dass auch Kriemhild auf ihn schaute. Da brachten sie ihre Blicke nicht mehr voneinander los. All dies aber geschah in Heimlichkeit.

Da sie so wandelten und Kriemhild Siegfrieds Hand gefasst hielt, dachte mancher Ritter: Wäre ich doch an Siegfrieds Stelle, dass ich neben ihr gehen und dann bei ihr liegen könnte! Wer Augen hatte, hatte an jenem Morgen nur Augen für dieses Paar.

Nachdem die beiden voll Anstand ein Weilchen sich so ergangen hatten, standen sie wieder vor dem König. Da sagte König Gunther zu seiner Schwester: »Nun küsset unsern lieben Gast, wie es der Brauch ist! Dies soll der Dank für Siegfrieds Mühen sein!«

Da küsste Kriemhild Siegfried auf die Wangen und auf die Augen. Da wurden viele Ritter bleich vor Neid und der König der Dänen sprach zu Gernot: »Um dieses Kusses willen mussten viele Helden das Leben lassen! Gebe Gott, dass Siegfried nie mehr nach Dänemark kommt!«

Indessen war zum Kirchgang geläutet worden und Siegfried musste sich von Kriemhild trennen, denn ins Münster gingen die

Herren und die Damen jedes für sich. Nach dem Gottesdienst aber sollte der Held die Schöne wieder zur Burg führen dürfen. Die Messe währte eine Ewigkeit. Endlich waren die Gläubigen entlassen, da wartete Siegfried schon auf der Treppe, dass Kriemhild erscheine. Da sie Siegfried erblickte, zögerte sie, allein König Gunther hieß sie wieder zu Siegfried treten.

»Ich will Euch nochmals danken, guter Herr Ritter, für alles, was Ihr um meiner Brüder willen getan habt!«, sprach Kriemhild. »Vergelten möge es Euch Gott!« – »Ich will Euch immerdar dienen, Euren Brüdern und Euch, meine Herrin, mein Leben lang!«, erwiderte Siegfried. In dieser Stunde fühlte er nichts als Glück. Solange das Fest währte, blieb Siegfried Kriemhilds Begleiter. Das war zwölf Tage lang und die Tage waren erfüllt von Frohsinn und Glanz. Die Freuden der Spiele wetteiferten mit den Freuden der Tafel, aber vielleicht waren die Freuden der Spiele doch größer. Die Herren Ortwin und Hagen ernteten dabei den meisten Ruhm. Der Eifer, es ihnen gleichzutun, war so groß, dass selbst die Verwundeten sich erhoben, um den Speer zu werfen und mit der Lanze den Schild des Gegners zu treffen. Die Könige zeigten sich allerorten und hatten für jedermann ein freundlich ehrendes Wort, und als die Gäste zum Abschied auf der Burg erschienen, beschenkte sie König Gunther ohne Maßen. Er gedachte auch die gefangenen Könige und ihre Herren zu entlassen. Sie boten ihm für ihre Freiheit so viel Gold, wie fünfhundert Packpferde schleppen können. König Gunther bat deshalb Siegfried um Rat.

»Entlasst die Gefangenen ohne Lösung«, riet Siegfried, »und nehmt ihnen nur das Versprechen ab, fortan Frieden zu wahren. Ihr werdet damit einen größeren Schatz erwerben als Gold und Silber und Edelgestein, nämlich Freundschaft!« So arglos war Siegfried und König Gunther handelte nach seinem Rat. »Mir steht der Sinn nicht nach Euren Schätzen«, sprach er zu Liudeger und Liudegast, »ich habe Reichtümer im Überfluss!«

Sagte ich, dass man die Gäste beim Abschied ohne Maßen beschenkte? Es war mehr als ohne Maßen. Jeder erhielt fünfhundert Mark in rotem Gold, das war Gold, so viel als ein stattliches Reitpferd wiegt, und es waren fünftausend Gäste nach Worms gekommen. Siegfried aber blieb in Worms und keinen wunderte das. Es ahnte aber auch keiner das Unheil, das daraus bald erwachsen sollte.

Wie Gunther nach Island zu Brünhild fuhr

Iteniuwe mœre   sich huoben über Rîn.
man sagte daz dâ wœre   manec scœne magedîn.
der gedâht' im eine erwerben   Gúnther der künec guot:
dâ von begunde dem recken   vil sêre hôhén der muot.

5

Über den Rhein kamen neue Gerüchte, die alle von unglaublich schönen Jungfrauen wissen wollten. Da entbrannte auch König Gunther in Lust, um eine solche Jungfrau zu freien. Die fabelhaftesten Dinge berichtete man von einer Königin fern über der See. Sie sollte ebenso unmäßig schön wie stark sein, und wer um sie freite, so hieß es, musste sie im Speerwerfen, Steinstoßen und Weitspringen besiegen, und wenn er nur einmal verlor, freite er den Tod. Unzählige tapfere Helden hatten versucht, Brünhild zu erobern und alle hatten sie ihren Kopf darum geben müssen.
Nun aber sprach König Gunther: »Wohlan denn, ich will um Brünhild freien. Nie heirate ich eine andre als die, die ich liebe, und ich liebe nun einmal Brünhild. Kann ich sie nicht gewinnen, so will ich auch nicht weiterleben!«
König Gunther beriet sich deshalb mit Siegfried und Hagen. Siegfried sagte: »Lasst ab von diesem Plan, König Gunther, er kann Euch nichts Gutes bringen! Diese Fürstin ist viel zu furchtbar, als dass Ihr sie besiegen könntet!« – » Ihr sprecht ja so, als ob Ihr sie kenntet, Herr Siegfried«, sagte darauf König Gunther erstaunt. »Ich kenne sie nicht«, entgegnete Siegfried, »jedoch ich weiß es!« Da wandte sich König Gunther verärgert ab. Hagen aber sprach zu ihm: »So bittet doch diesen vielweisen Herrn, Euch in Eurer Not zu helfen; er hat ja gelobt, Euch stets beizustehn! Offensichtlich kennt er die Fürstin Brünhild genauer, als er uns sagen will!«

»Ich kenne den Weg zu ihr«, sagte Siegfried, »und ich will Euch helfen, König Gunther, wenn Ihr mir dafür Kriemhild zur Frau gebt!«

»Das gelobe ich gern«, erwiderte König Gunther, »sobald Brünhild als meine Geliebte hier in Worms einzieht, will ich Euch meine Schwester zur Frau geben, und Ihr mögt all Eure Tage fröhlich mit der Holden leben!«

Da strahlte Siegfried und da war doch sein Todesurteil gefällt. Die Herren beschworen ihre Versprechen mit heiligen Eiden, dann rüsteten sie mit Macht zur Fahrt.

»Mit wie viel Schilden wollen wir ausziehen?«, fragte König Gunther, »mit zwanzigtausend oder mit dreißigtausend? Ich würde so viele Kämpfer auf die Beine bringen, ich könnte ja auch die Herren aus Dänemark und Sachsen bitten!« Allein Siegfried widerriet dem Plan. »Wirklich, Ihr kennt die Fürstin nicht und nicht ihre Bosheit«, sprach er, »je mehr Volk wir mitnähmen, umso sicherer müssten wir alle in diesem Reich zugrunde gehn! Lasst mich anders sorgen und vertraut mir! Wir wollen uns als fahrende Ritter ausgeben und nur zu viert reisen: Wir beide und dazu Hagen und Dankwart, mehr braucht es nicht. So könnt Ihr Brünhild gewinnen. Was aber danach geschehen wird, weiß Gott allein!«

»Ich will Euch vertrauen«, sagte König Gunther, »lenkt also die Sache, wie es Euch gut dünkt. Wie aber sollen wir uns kleiden? Was trägt man eigentlich an Brünhilds Hof?«

»Das Kostbarste«, erwiderte Siegfried, »das, was bei uns noch kein menschliches Auge an Pracht gesehen hat, ist dort Alltagsgewand, nach dem keiner sich umdreht! Lasst Euch darum nichts zu teuer sein!«

»So will ich gleich meine Mutter Ute bitten, dass sie uns ausstattet«, sagte König Gunther eifrig, allein Hagen sagte: »Was wollt Ihr Eure Mutter bemühen? Sie geht doch nicht mehr mit der Mode. Kriemhild kann uns da besser dienen!« – »Das ist wahr«, sagte Siegfried rasch, »wir sollten gleich nach ihr schicken, dass sie uns empfängt! Jeder von uns braucht zwölf Kleider: Vier Tage werden wir in Island bleiben: Ein Tag ist die Ankunft; ein Tag der Empfang; ein Tag das Kampfspiel; ein Tag dann der Abschied. Jeden Tag aber wollen wir uns dreimal umkleiden! Königin Kriemhild soll weder Kunst noch Schätze sparen!«

So ließen sich denn König Gunther und Siegfried bei Kriemhild melden. Kriemhild war frohgemut, Siegfried zu Gefallen zu sein. Sie empfing ihre Gäste aufs Würdigste im Palast und hieß sie neben sich auf dem Ruhebett Platz nehmen. Die Herren dankten artig für diese große Auszeichnung und setzten sich auf die bildbestickten Kissen, dann trug König Gunther der Schönen seine Wünsche vor. Kriemhild wurde weh ums Herz, da sie hörte, dass ihr Bruder ins ferne Island reisen wollte. »Habt Ihr denn kein Mädchen hier in der Nähe, das Euer würdig wäre, lieber Bruder?«, fragte sie voll Sorge. Allein König Gunther beharrte auf seinem Begehr.

Da öffnete Kriemhild ihre gehütetsten Truhen. Den Helden gingen die Augen über ob dieser Stoffe, die da schlummerten! Da lagen duftende Ballen arabischer Seide, die war weißer als der weiße Schnee, und daneben knisterte bester Sigelat[11] aus dem fernen Heidenland Zazamank, viel grüner als der grüne Klee, und golddurchwobener marokkanischer Pfellel quoll hervor und hauchdünner Zindel aus dem Mohrenland Libya, und aus Ebenholzkästen schimmerte die gegerbte Haut von Delphinen und afrikanischen Fischen und dazu Zobel und Hermelin und Feh[12] die Fülle, und Kriemhild wies den staunenden Helden die Schätze und sagte: »Nun schafft zwölf Schilde voll Edelgestein, lieber Bruder, auf dass meine Mädchen ans Werk gehen können! Ich dachte diesen grünen Barragan hier über Haihaut zu spannen, aber da müsste er ganz mit Rubinen ausgelegt werden. Oder seht hier diesen kohlschwarzen, sechs Faden starken Sammet[13], dem stünde Hermelinfutter wohl an, doch wie könnte man ihn dann anders zieren als mit Opalen aus Persia?« Da brachten zwölf Recken zwölf Schilde voll Edelgestein und Kriemhild bestimmte dreißig ihrer geschicktesten und fleißigsten Mädchen, die nähten Sma-

---

11 golddurchwirkter Seidenstoff
12 Fell von sibirischen Eichhörnchen
13 Samt

ragde auf sarazenische Seide und dunklen Türkis auf meergraue Ferrandine, und sie arbeiteten ohne Unterlass und waren sieben Wochen am Werk. Siegfried aber ging in seine Kammer und holte die Tarnhaut hervor, die er einst dem Zwerg Alberich abgenommen hatte. Er hatte bislang verschmäht, sie zu brauchen, nun aber wusste er, ohne sie würde die Fahrt böse enden. Diese Tarnhaut war ein grauer Mantel, unscheinbar und dünn und zerschlissen und im Äußeren nicht anders als einer der Mäntel, wie fahrendes Volk sie trägt, aber wer ihn sich um die Schultern legte, empfing die Kraft von zwölf Männern und die Gabe der Unsichtbarkeit.

Als Siegfried die Tarnhaut wohl verwahrt hatte, nahm er Abschied von Kriemhild. Da weinte die Königin doppelte Tränen: um ihren Bruder und um den Helden, an dem ihr Herz hing. Es war, als ob sie wisse, was alles aus dieser Fahrt erwachsen sollte. Siegfried aber sagte zu Kriemhild: »Weinet nicht, schönste Königin! Wahrlich, ich bringe Euren Bruder und die anderen Herren heil nach Burgund zurück, das verspreche ich Euch in die Hand!« Da verneigte sich Kriemhild vor ihm zum Dank.

Indes war das Schiff gerüstet und die Gewänder, Waffen und Rosse waren verladen und dazu reicher Vorrat an Speisen und Wein. Ein hoher Wind blähte die Segel. Da weinten die Frauen und in den Fenstern drängten sich die Gaffer.

Siegfried sagte: »Ich kenne den Weg! Ich werde steuern!« Da nahmen die Herren Platz. Sie waren heiteren Mutes. Siegfried stieß das Schiff vom Gestade. König Gunther half ihm dabei mit dem Ruder. Das Schiff glitt leicht dahin. Der Wind wehte mit Macht. Sie fuhren zwanzig Meilen. Dann wurde es Nacht.

Die Fahrt blieb gut. Sie fuhren den Rhein hinunter und hinter dem Horizont verschwanden die Burgen. Manchmal sahen sie Mühlen. Dazwischen lag Wald.

Manchmal kamen Ströme und schütteten ihr Wasser in den Rhein. Dann kam Sumpf. Dann kam Sand.

So kamen sie auf die offene See. Neun Tage sahen sie nur Wogen mit weißen Kämmen und hörten nur Wind. Wenn die Sonne unterging, glühte das Wasser wie Feuer.

Eines Morgens sahen sie Land. Das Land war grün. Über das Ufer ragten Türme.

Sie fuhren in einen Strom und fuhren den Strom hinauf. Nun dehnte sich Flur an Flur und darauf weidete viel Vieh. Die Städte hinter den Fluren waren weiß und gezinnt[14]. Von den Burgen wehte Purpur.

»Was ist das für ein Land?«, fragte König Gunther voll Staunen.

»Es ist das Eisland, Fürstin Brünhilds Land«, sprach Siegfried, »und diese Burg ist die Feste Isenstein!«

Hagen und Dankwart ruderten.

»Habt Acht auf meinen Rat, ihr Herren«, sprach Siegfried. »Wir wollen sagen, dass ich ein Lehnsmann König Gunthers sei. Verredet Euch dabei nicht, sonst geht mein Plan nicht auf!«

Hagen schwieg.

»Wir sollten tun, was Siegfried rät«, sagte König Gunther.

»Es geschieht um Kriemhilds willen, dass ich mich meines Standes begebe«, sprach Siegfried, »für Kriemhilds Liebe tue ich alles!«

Da legten sie vor der Feste Isenstein an.

Wie Gunther Brünhild gewann

In der selben zîte   dô was ir scif gegân
der bürge alsô nâhen   dô sah der künec stân
oben in den venstern   vil manege scœne meit.
daz er ir niht erkande,   daz was Gunthere leit.

Als das Schiff der Burg nah kam, zeigten sich Frauen in allen Fenstern. Eine trug ein schneeweißes Kleid. Da sagte Siegfried zu Gunther: »Seht Euch diese Schönen hier an! Wenn Ihr wählen könntet, welche würdet Ihr wählen?« Da sagte König Gunther: »Die Frau im schneeweißen Kleid. Wer ist das? Sie ist wunderschön. Sie soll meine Frau sein!« Da sagte Siegfried: »Ihr habt recht geraten, König Gunther. Es ist Brünhild!«

---

14 Das silberweiß glänzende Metall Zinn bedeckte die Dächer der Städte.

Die Fürstin hob die Hand. Da verschwanden die Mädchen von den Fenstern. Es war unziemlich, so zu stehen und zu gaffen. Die Mädchen gingen in ihre Gemächer, sich zu schmücken. Heimlich aber spähten sie aus den Luken und Scharten. Sie wollten die fremden Recken sehen, die in den Tod gingen.

Das Schiff legte an. Die Recken stiegen aus. Es waren ihrer nur vier. Siegfried führte ein weißes Pferd vor König Gunther. Er richtete den Sattel, dann half er König Gunther in den Sitz. Dann erst bestieg er sein eigenes Pferd. Das sahen die Frauen, und König Gunther sah, dass sie es sahen. Davon schwoll ihm die Brust.

Die Helden ließen das Schiff im Hafen und ritten zur Burg. Brünhild sah sie vom Fenster ihres Saales. So herrliche Helden waren noch niemals auf Island erschienen. Die Edelsteine wiegten sich im arabischen Gold. Die Sättel funkelten und am Zaumzeug tönten goldene Schellen. Die Schwerter klirrten an die Sporen. König Gunther und Siegfried waren in weiße Seide gekleidet, Hagen und Dankwart in schwarzen Sammet. Über ihnen blitzten die Speere wie Sterne. So ritten sie zur Burg.

Die Burg hatte sechsundzwanzig Türme. Sie hatte drei Palasse und einen Saal aus grünem Marmor. In diesem Saal saß Brünhild mit ihrem Hofstaat. Sie war in Gold gekleidet und ihre Frauen in Scharlach und ihre Ritter in Stahl. So warteten sie auf die Gäste.

Das Tor wurde aufgetan. Die Ritter ritten in den Hof. Gepanzerte eilten herbei, ihnen die Waffen und die Rosse abzunehmen. Die Helden stiegen ab und ließen den Rittern die Tiere und die Schilde. Das sagten die Ritter: »Gebt uns auch die Schwerter und die Brünnen[15]!« – »Die legen wir nicht ab«, sagte Hagen, »die trägt niemand außer uns!« – »Es ist hier so Brauch«, erklärte Siegfried. »Kein Fremder darf sich der Fürstin in Waffen nahen!« Da murrte Hagen, allein er legte die Waffen ab. Dann bot man ihnen Wein an. Sie tranken. Ritter kamen. Sie trugen die prächtigsten Kleider und glotzten die Gäste an.

---

15 Nackenschutz der Rüstungen

Brünhild sah in den Hof. »Wer sind diese Fremden?«, fragte sie. »Sie stehen im Hof, als wären sie hier die Herren. Fragt nach ihrem Begehr und berichtet mir!«

Da sagte ihr Kämmerer: »Ich kenne die Fremden nicht, Fürstin. Einer ist wohl der König. Einer ist finster und furchtbar. Einer ist jung und edel. Der Vierte aber sieht wie Siegfried aus!«

Da rief Brünhild: »Nun bringt mir mein Festgewand! Siegfried ist gekommen! Aber die Liebe soll mich nicht noch einmal übermannen! Auch er muss um mich kämpfen und wird sterben!«

Da kleidete man die Fürstin in ihr Festgewand. Hundert der edelsten Mädchen Islands umringten sie. Fünfhundert Recken[16] gingen an ihrer Seite. So schritt Brünhild den Helden im Saal entgegen.

Brünhild trat auf Siegfried zu. Sie sagte: »Willkommen, Siegfried, in meinem Reich! Habt Ihr eine gute Reise gehabt? Was führt Euch zu mir?«

So sprach Brünhild. Siegfried aber sagte: »Ihr tut mir zu viel Ehre an, Fürstin, dass Ihr mich vor diesem edlen König hier begrüßt. Das Willkommen gehört meinem Lehnsherrn, nicht mir. Es ist König Gunther aus Worms am Rhein und er ist gekommen, Euch zu freien! Er hat mir befohlen, ihn zu begleiten. Aus freien Stücken hätte ich mich niemals hierher gewagt!«

Da wurde Brünhild bleich wie Stahl. Sie sagte: »Wenn er dein Herr ist, so bist du sein Lehnsmann. Wenn er mich im Kampfspiel dreimal besiegt, werde ich sein Weib. Wenn er unterliegt, muss er sterben und du stirbst mit ihm. Mit seinem Leben ist deins verwirkt und das der andern Ritter auch!«

Da sagte Hagen: »Das wird sich zeigen!«

Da sagte Brünhild: »Zuerst werden wir den Stein werfen. Dann werden wir springen. Zum Schluss werden wir die Speere aufeinander schleudern. Noch könnt Ihr umkehren! Überlegt es Euch gut!« Siegfried aber trat hinter König Gunther und flüsterte ihm zu: »Verzagt nicht! Ich werde Euch mit meinen Künsten schon beistehn!« Da sagte König Gunther zu Brünhild: »Ich

16 Krieger

setze mein Leben um Eure Liebe! Um Eurer Schönheit willen werde ich jede Probe bestehen!« Da ließ Brünhild die Kampfbahn rüsten.

In ihrer Kammer legte die Fürstin ein seidenes Waffenhemd an, das war aus dem Heidenland Azagouk, wo die Menschen keine Schatten werfen, und das noch weit hinter der glühenden Wüste von Zazamank liegt. Es war mit bunten Borten benäht und noch von keiner Waffe berührt. Darüber schnallte sie einen goldenen Harnisch und darüber einen Waffenrock aus libyschem Samt. Siegfried aber war zum Schiff geeilt und hatte sich die Tarnhaut umgelegt. So stand er unsichtbar hinter den Recken.

Siebenhundert isländische Ritter umringten die Kampfbahn. Sie sagten: »Wehe den armen edlen Herren, die nun wieder ins Gras beißen müssen!« Dazu lachten sie.

Nun kam Brünhild. Vier Recken schleppten ihren Schild. Er war aus Gold. Seine Tragriemen waren mit Smaragden besetzt. Sein Buckel war drei Spannen dick und ganz aus Stahl. Die vier waren die stärksten Männer auf Isenstein und sie keuchten beim Schleppen. Da sagte Hagen: »Was nun, König Gunther? Jetzt geht's uns ans Leben! Die Ihr lieben wollt, ist des Teufels Weib!«

Jetzt brachten die Kämmerer den Speer. Der war länger als der längste Eschenstamm. Die Spitze war aus viereinhalb kopfgroßen Eisenklumpen geschmiedet. Sie war so scharf, dass die Luft um sie zischte. Da dachte König Gunther: Wie soll ich hier nur bestehen? Der Teufel hat mich geritten, hierher zu ziehen! Säße ich bloß lebendig zu Worms am Rhein, nie wieder freite ich um die Fürstin von Island! Dankwart aber sprach: »Bisher haben wir Ruhm als brave Ritter erworben! Nun müssen wir elend von Weiberhand zugrunde gehen! Mich reut diese Fahrt wie nichts im Leben!« Da sagte Hagen: »Hätten wir nur unsre Panzer und unsre Schwerter! Wir wollten uns dieser Jungfrau schon erwehren und uns zum Schiff kämpfen!« Das hörte Brünhild. Sie blickte über die Schulter auf die drei Sorgenden und lächelte. Sie sagte: »Bringt ihnen Panzer und Waffen. Sie sollen nichts Schlechtes über uns sagen können!« Da wurden den Helden die Panzer und die Schwerter zurückgegeben.

Da sagte Dankwart: »Jetzt ist mir wieder wohler! Nun mag der König unbesorgt sein!«

Zuerst wurde der Stein gebracht. Der war so schwer, dass ihn zwölf auserlesene Recken kaum wälzen konnten. Da sagte Hagen: »Weh uns, was ist das für eine Königsbraut! Sie stünde in der Hölle dem Teufel besser an!«

Nun wand Brünhild die Ärmel ihres Waffenrocks auf. Mit leichter Hand hob sie den Schild und den Speer. Da erzitterte König Gunther. Plötzlich fühlte er sich von einem Unsichtbaren an der Schulter gefasst. Da erschrak er so, dass er fast aufschrie. Er schaute sich nach allen Seiten um, allein er konnte niemand erblicken. Da sagte es: »Ich bin's Siegfried, dein Freund! Fürchte die Fürstin nicht! Gib mir jetzt deinen Schild und deinen Speer! Ich tue das Werk und du die Gebärde! Sei du der Schein meines Tuns, so werden wir bestehen!« Da fasste König Gunther wieder Mut.

Brünhild warf als Erste den Speer. Da er den Schild an Siegfrieds Hand traf, schoss Feuer zum Himmel. Der Speer durchschlug den Schild und fuhr auf die Brünne. Da lohte auch aus der Brünne Feuer. Der Speer durchschlug auch die Brünne und fuhr auf die Tarnhaut. Da schoss Siegfried ein Strahl Blut aus dem Mund und er brach in die Knie. König Gunther aber stand ohne Wanken.

Siegfried erhob sich und nahm Brünhilds Speer auf. König Gunther tat zum Schein, was Siegfried wirklich vollbrachte. Plötzlich drehte Siegfried den Speer um. Er dachte: Sie ist ein Mädchen, ich mag sie nicht verwunden! So sandte er den Speer mit dem stumpfen Ende gegen Brünhild. Der Speer schlug Brünhilds Schild zur Seite und prallte auf ihren Panzer. Da stob Feuer aus dem Gold. Brünhild fiel auf den Rücken. Das hätte König Gunther aus eigener Kraft niemals vermocht.

Die herrliche Fürstin war schnell wieder auf den Beinen. Sie rief: »Habt Dank für diesen Wurf, König Gunther! Das war ein Wurf, eines Ritters wert!« Sie dachte, König Gunther habe das getan. Allein, es hatte Siegfried getan. Brünhild aber erkannte Siegfrieds Hand nicht.

Die Fürstin war voll Zorn. Sie schleuderte den Stein mit aller Kraft. Dann sprang sie hinter dem Stein her. Der Stein flog zwölf Klafter weit und die Fürstin übersprang ihn noch. Da trat König Gunther zum Stein. Hinter ihm stand unsichtbar Siegfried. König Gunther versuchte den Stein aufzuheben, aber er machte ihn kaum wackeln. Da hob Siegfried den Stein auf und warf, und König Gunther tat so, als ob er werfe. Da flog der Stein viel weiter als bei Brünhild. Dann packte Siegfried König Gunther unter der Achsel und sprang mit ihm noch über den Stein hinaus. Es schien aber allen, als habe König Gunther den Wurf und den Sprung getan. Da hatte Siegfried des Königs Leben gewonnen.

Die Fürstin Brünhild sagte zu ihrem Gefolge: »Von nun an gehört Ihr alle dem König Gunther! Er hat mich besiegt!« Da legten die Ritter die Waffen auf die Erde. Dann traten sie zu König Gunther und beugten vor ihm das Knie. So huldigten sie dem Bezwinger ihrer Fürstin und König Gunther empfing sie überaus gnädig und ganz ohne Fehle, wie es die Sitte verlangte, und er grüßte jeden der Ritter, der sich vor ihm verneigte, und sprach huldreich zu ihm. Da nahm Brünhild Gunthers Hand. Sie sagte: »Mein Land ist nun Euer!« Dies nahm König Gunther in Gnaden an. Da freuten sich Hagen und Dankwart.

Brünhild lud die Herren in den Saal. Siegfried war indes fortgegangen und hatte die Tarnhaut abgetan. Als er zurückkam, tat er gänzlich unwissend. »Wann beginnen denn die Kämpfe, König Gunther?«, fragte er, »ich bin höchst begierig, sie anzusehen!« Da sagte Brünhild erstaunt: »Wart Ihr denn nicht am Kampfplatz gewesen, Herr Siegfried?« Da sagte Hagen für Siegfried: »Er hat sich drunten beim Schiff verweilt. Darum weiß er nichts von König Gunthers Sieg über Euch! Doch dieser Sieg war ja zu erwarten!« Da wurde Brünhild wieder rot vor Zorn. Siegfried aber sprach: »Was für ein wunderbarer Tag! Welch günstige Nachricht! Wie freut mich meines Königs Sieg! Nun müsst Ihr mit uns an den Rhein ziehn, vieledle Jungfrau, und als Gemahlin des Königs nach Worms!« Dies sagte Siegfried um Kriemhilds willen.

Brünhild aber sprach: »Noch ist es nicht so weit. Ich will erst meiner Sippe und meinen Mannen Bericht geben!«

Da ritten Boten rings ins Land hinein, Brünhilds Krieger zur Burg zu bitten. Bald kamen die ersten Ritter heran. Sie waren über und über bewaffnet. Da sagte Hagen: »Bei Gott, was lassen wir da zu! Wenn sich ganz Island hier versammelt, sind wir verloren!« Da sagte Siegfried: »Das werde ich verhüten! Ich schaffe Euch ein Heer! Ich habe hier Vasallen, die Ihr nicht kennt!« – »So zieht denn mit Gott«, sprach König Gunther, »doch verweilt nicht zu lange!« Da sagte Siegfried: »Keine Sorge, ich kehre bald zurück. Wenn aber Brünhild nach mir fragt, dann sagt ihr, Ihr habt mich als Euren Lehnsmann weggeschickt!«

Wie Siegfried nach seinen Mannen fuhr

Dannen gie dô Sîfrit   zer porten ûf den sant
in sîner tarnkappen,   da er ein schiffel vant.
dar an sô stuont vil tougen   daz Sigemundes kint.
er fuort' ez balde dannen,   alsam es wæté der wint.

Siegfried tat wieder die Tarnhaut um. Unsichtbar bestieg er das Schiff und ruderte es ins Meer. Die Recken Islands sahen, wie es gegen den Wind fuhr und niemand darin saß. Da graute ihnen.

Die Insel, wohin Siegfried ruderte, lag am Ende der Welt. Es war das Land der Nibelungen. Es maß hundert Meilen und mehr. Dort lag Siegfrieds Hort verwahrt.

Siegfried brauchte einen ganzen Tag und eine ganze Nacht für diese Reise. Eigentlich war es nicht Tag und nicht Nacht, denn die Sonne kam nicht mehr bis dahin und auch nicht der Mond, nur der Nebel. Für Fremde lag dieses Land immer in Finsternis. Wer aber von dort stammte, sah alles in Helle wie anderswo einer die Fluren im Sonnenschein.

Siegfried steuerte sein Schiff in eine Bucht. Über der Bucht lag die Burg. Ihr Tor war verschlossen. Siegfried pochte ans Tor, da spähte ein Riese heraus. Das war der Wächter. Er war größer als ein Eichbaum. Er war zornig, dass er geweckt worden war. »Wer pocht so ungestüm an das Tor«, brüllte er.

Da dachte Siegfried des Wächters Treue zu prüfen. Mit verstellter Stimme antwortete er: »Ich bin ein fremder Ritter. Öffne! Sonst schlag ich das Tor ein!« Da wurde der Wächter aber wütend! Er packte eine ungeheure Eisenstange, das war seine Waffe, und legte seine Rüstung an. Dann stieß er das Tor auf und warf sich auf Siegfried. Beim ersten Schlag schon zersprang Siegfrieds Panzer. Da fürchtete der Held für sein Leben und zugleich freute ihn des Wächters Eifer. Sie rangen erbittert. Schließlich bezwang Siegfried den Wächter und band ihn.

Das Kampfgetöse drang bis ins Innere der Burg. Dort hauste der Zwerg Alberich. Rasch lief er herbei. Er war stark und grimmig, und seine Waffe war eine Geißel mit sieben goldenen Kugeln, die zerhieb jeden Schild. Auch Siegfrieds Schild zerbarst unter ihren Schlägen. Wieder musste der junge Held um sein Leben fürchten. So wackre Wächter hatte er! Des war der Held von Herzen froh.

Siegfried wollte den Zwerg nicht töten. Er stieß sein Schwert in die Scheide zurück. Sein ritterliches Wesen gebot ihm Milde. Er packte den Zwerg am Bart und schleifte ihn dran um die Burg.

Dass sein grauer Bart so gezerrt wurde, peinigte den Zwerg. Er schrie: »Junger Held, schont mein Leben! Ihr zerrt mir die Seele aus dem Leibe! Lieber will ich Euch dienen als so schmählich sterben!« Da lachte Siegfried und sagte: »Ich bin ja bereits dein Herr!« Da sagte der Zwerg: »Wer anders als Siegfried könnte so stark sein! Ich bin Euer Knecht!« Da zeigte sich Siegfried gnädig und mild und gab Alberich und den Riesen frei.

»Geh in die Burg«, sagte Siegfried zu Alberich, »und biete mir tausend der kühnsten Nibelungen auf!« Da eilte der Zwerg in die Burg. Dort schliefen die Krieger in ihren Betten, bis der König sie weckte. So schliefen sie schon tausend Jahre. So lange war es her, seit Siegfried die Brüder Schilbung und Nibelung erschlagen und den Hort erworben hatte.

Siegfried wartete am Tor. Über dem Land und über dem Meer lag Nebel. Siegfried dachte: Wie lang ist es her, dass ich hier war? Er wusste es nicht. Da dachte er: Vielleicht geschah dies alles nur in meinem Herzen allein, da ich träumte? Da ging er von der Burg weg ins Land.

Hinter der Burg lag ein Wald. In dem Wald lag ein Fels und im Fels war eine Höhle. Der Grund vor der Höhle war rot. Da sagte Siegfried zu sich: Hier habe ich den Drachen getötet. Hier habe ich im Drachenblut gebadet! Das alles ist lange her.

Da wurden die Nebel dichter.

Siegfried ging tiefer in den Wald. Da lag eine Heide im Wald und auf der Heide stand eine Klippe. Der Grund um die Klippe war schwarz. Da sagte Siegfried zu sich: Auf dieser Klippe hat Brünhild geschlafen. Ringsum war Feuer. Ich bin durchs Feuer geritten. Ich habe bei Brünhild gelegen. Wir waren Kinder. Das alles ist lange her.

Da wurde das Dickicht so zäh, dass Siegfried sich mit dem Schwert einen Weg hauen musste.

Siegfried ging tiefer in den Wald. Da stand eine Hütte und vor der Hütte stand ein Amboss. Der Grund um die Hütte war grün. Da sagte Siegfried zu sich: Hier wuchs ich auf. Hier habe ich bei Mime dem Schmied gelebt. Er lehrte mich Kohlen brennen und Beile stählen. Hier war ich glücklich.

Da verwuchsen Nebel und Dickicht derart miteinander, dass Balmung von ihnen abprallte.

Siegfried wollte noch tiefer in den Wald gehen. Er kam aber keinen Schritt mehr vorwärts. Da ging er zur Burg zurück. Er brauchte dahin nur drei Schritte und Felsen, Klippen und Hütte sah er nicht mehr.

Vor der Burg warteten schon die Krieger. Sie schlugen die Schwerter an die Schilde, ihren Herren zu grüßen. Siegfried dankte einem jeden. Er kannte sie alle von Angesicht und mit ihrem Wappen und mit ihren Taten. Es waren ihrer aber dreitausend. Davon wählte er die Tapfersten aus. Mit denen aß und trank er in der Burg. Es war Tag, doch sie mussten Kerzen brennen, da der Nebel so schwarz war. Siegfried hieß seine Mannen die reichsten Kleider antun und die feurigsten Rosse schirren und die schärfsten Waffen mitnehmen. Dann segelten sie nach Island zurück.

Die Fürstin und ihre Frauen standen an den Zinnen und schauten über das Meer. Neben Brünhild stand König Gunther mit Hagen und Dankwart. Die Krieger der Fürstin standen im Burghof. Da sah Brünhild die Schiffe mit den Mannen und Rennern.[17] Sie fragte: »Wer sind diese Krieger? Ihre Segel sind weißer als Schnee!« Da sagte König Gunther: »Das sind meine Recken! Ich hatte sie in der Nähe zurückgelassen. Nun habe ich sie gerufen, dass sie uns würdig geleiten!«

Da sagte Brünhild: »Sie sollen mir willkommen sein!« Da reisten viele ihrer Krieger wieder ins Land zurück.

Die Fürstin begrüßte die Nibelungen vor dem Tor. Siegfried aber hieß sie nicht willkommen. Die Ritter Isensteins drängten sich um die Fremden und gafften. Aus den Fenstern spähten die Frauen. »Nun heißt es Abschied nehmen«, sagte Brünhild und weinte.

Sie sagte: »Ich möchte meine Getreuen würdig beschenken. Allein mein Kämmerer ist nicht mehr hier!« Sie hoffte, Siegfried würde ihr Kämmerer werden. Aber Dankwart sagte rasch: »Lasst mich diese Arbeit tun, Fürstin! Gebt mir die Schlüssel zu Euren Schätzen! Ich bin zum Beschenken der richtige Mann!«

Da gab Brünhild ihm den Schlüssel. Dankwart verteilte Brünhilds ganzen Besitz. Er schüttete das Gold aus, als wären es Erbsen. Die Ärmsten wurden reich. Wer um ein Pferd bat, erhielt einen Marstall. Des war Brünhild leid.

»Mein König«, sprach die Fürstin zu König Gunther, »wehrt diesem Narren doch sein Tun! Er verschleudert ja meine ganze Habe! Es ist mein Vatererbe und es soll mich noch lange erfreuen! Herr Dankwart aber tut, als wäre ich tot!« Da sagte Hagen: »Macht Euch nichts draus, Fürstin! Was soll Euch dieser Bettel! König Gunther hat so viel Schätze, dass Ihr diese Armseligkeiten nicht vermissen werdet!« Insgeheim aber dachten Hagen und Dankwart: Mit ihrem Schatz ist Brünhild auch in der Ferne

---

17 gute Rennpferde

noch mächtig! Wir müssen ihn zerstreuen, sonst droht uns Unheil! Und Dankwart ließ Edelsteine aus den Fenstern regnen. Da sprach Brünhild voll Zorn: »Wollt Ihr mich ehrlos machen? Wie könnte ich an den Rhein kommen ohne Geschenke? Soll man dort sagen: König Gunther bringt eine Bettlerin nach Burgund?« Da hieß König Gunther Dankwart innehalten. Da waren von Brünhilds Schatz noch zwanzig Truhen voll Geld und Pelzen geblieben. Darüber lachte Dankwart sehr.

Brünhild sprach zu Gunther. »Was soll mit Island geschehen, wenn ich mit Euch gehe? Wem soll es angehören?« Da sagte König Gunther: »Das steht bei Euch!« Da setzte Brünhild ihrer Mutter Bruder als Vogt über Island, dass er es für sie verwalte. Sie sollte es aber nie wieder sehn.

Zum Geleit wählte die Fürstin zweitausend Ritter, sechsundachtzig Kammerfrauen und hundert der schönsten Mädchen. Die tausend Nibelungen zogen mit Siegfried. So stachen sie in See.

Die Fahrt war voll Freude. Es gab Spiel und Tanz und alle Lustbarkeit. Es wurde Musik gemacht und gesungen und man trank auch den besten Wein.

König Gunther drang sehr in Brünhild, dass sie bei ihm liege. Brünhild wollte das nicht während der Fahrt. Sie wollte damit warten, bis sie in Worms wären. Dort sollte Hochzeit und Brautlager sein.

Wie Siegfried als Bote nach Worms gesandt wurde

Dô si gevarn wâren   volle niwen tage
dô sprach von Tronege Hagene: »nu hœrt waz ich iu sage.
wir sûmen uns mit den mœren   ze Wormez an den Rîn.
die iwer boten solden   nu ze Burgonden sîn.«

Sie waren schon neun Tage unterwegs, da sprach Hagen von Tronje: »Mein König, wir haben über unserer Kurzweil gänzlich versäumt, Boten nach Worms zu senden! Sie sollten eigentlich schon dort sein! Wir dürfen drum nicht länger zögern, damit man sich dort nicht sorge!« – »Da habt Ihr Recht«, erwiderte König Gunther, »am besten, Ihr reitet gleich selbst voraus! Wer könnte von unseren Abenteuern trefflicher berichten als Ihr?« Aber Hagen wehrte sich. »Ich bin kein guter Redner«, sprach er, »lasst mich hier auf dem Schiff Kämmerer sein und den Frauen aufwarten und sie und ihre Schätze behüten, davon verstehe ich etwas, zu Botengängen aber tauge ich nichts! Bittet doch Herrn Siegfried, dass er Euch diesen Dienst tut!«
Da bat König Gunther Siegfried, als Bote nach Worms zu ziehen, doch auch Siegfried wehrte zunächst ab. »Ich habe lang genug Euren Dienstmann gespielt, um Euch Brünhild gewinnen zu helfen!«, erklärte er, »nun lasst mich wieder in meinen Stand treten!« Da beschwor ihn König Gunther um Kriemhilds willen und da stimmte Siegfried ohne Widerrede zu. »Für Kriemhild tue ich alles«, sprach er. Da trug ihm König Gunther Folgendes auf:
»Sagt meiner Mutter zu Worms, der Königin Ute, viellieber Herr Siegfried, dass wir die Abenteuer glänzend bestanden haben, und lasst dies auch meine Brüder wissen. Erzählt es auch allen meinen Freunden, wie ich Brünhild errang und wie ich die Fürstin dreimal besiegte: im Steinstoß, im Weitsprung und mit dem Speer! Vergesst, ich bitte Euch sehr, auch ja nicht, dies alles genau meiner Schwester Kriemhild zu schildern, und es wäre auch durchaus gut, wenn es ihre Mädchen und Frauen und auch das Ge-

sinde erfahren, wie ich die grausame Schöne mit starker Hand besiegt und meinen Herzenswunsch verwirklicht habe! Es mag auch nach außen in die Nachbarlande und in die Ferne dringen, so festigt sich der Ruhm Burgunds! Das ist das Wichtigste, was ich Euch zu bestellen habe!«

»Ich will es getreulich ausrichten um Kriemhilds willen«, sagte Siegfried voll Höflichkeit.

»Sodann«, fuhr der König fort, »sodann sagt Herrn Ortwin von Metz, dass er uns eine großartige Sieges- und Hochzeitsfeier rüste! Am Rheinufer soll er Tribünen bauen und Zelte aufschlagen und Turnierplätze abstecken, er muss auch in der Stadt so viel Quartier als eben nur möglich beschaffen, denn dies Fest soll sogar meine Siegesfeier nach dem Sachsenkrieg in den Schatten stellen! Der Saal muss mit neuen Teppichen ausgelegt werden, auch an die Wände müssen neue Behänge kommen! Sagt Herrn Ortwin, er solle ja nicht sparen und ungescheut über Mittel verfügen, wie er's für gut hält, ich werde ihn nicht tadeln darum! Ja und dann richtet Kriemhild noch aus, ich ließe sie herzlich bitten, Brünhild einen besonders freundlichen Empfang zu bereiten und aufs Peinlichste zu vermeiden, die Stolze zu kränken! Sie ist so schrecklich spröde und unhold! Bestellt dies alles genau, viellieber Herr Siegfried, und vergesst auch nichts! Es ist dies alles höchlichst wichtig!«

Da verabschiedete sich, wie es die Sitte verlangte, Siegfried als Bote zuerst von König Gunther und dann auch von Brünhild und ihren Damen und ritt mit vierundzwanzig seiner Nibelungen den Rhein stromaufwärts nach Worms. Die Sehnsucht nach Kriemhild trieb ihn und er spornte sein Ross und kam nicht Tag und nicht Nacht aus dem Sattel. Doch als der Held mit seinen Rittern in einer Wolke Staub auf die Stadtmauer zusprengte, durchsauste wieder Entsetzen die Burg, dass Siegfried ohne den König zurückkehre, und wie der Wind verbreitete sich das Gerücht, König Gunther und seine beiden Edlen seien in Island elendiglich umgekommen. Giselher und Gernot sprengten Siegfried entgegen: »Was ist unserm Bruder Gunther geschehen?«, schrie Gernot schon von weitem, »sagt uns die Wahrheit Siegfried, wie bitter sie auch sei! Nicht wahr, die grausame Fürstin hat ihn umgebracht!«

»Er sendet Euch allen die besten Grüße«, rief da Siegfried und lachte, »er fährt mit der schönen Brünhild den Rhein herauf und ist zu dieser Stunde gewisslich der glücklichste Ritter der Christenheit!« – »So hat er dies furchtbare Weib wahrhaftig überwunden?«, fragte Giselher. »Er hat es wahrhaftig getan«, erwiderte Siegfried, »nun sorget, dass es Burgund erfährt!«

Da ritten die drei nach Worms, und am Tor warteten schon Kriemhilds und Utes Vertraute, Herrn Siegfried noch im Reisegewand vor die Königinnen zu bitten. Die Frauen empfingen ihn voller Sorge, obwohl ihnen Gernot und Giselher die frohe Botschaft von König Gunthers Sieg schon hatte zukommen lassen. Siegfried sah ihre rot geweinten Augen und beruhigte sie sofort. »Nun sparet nicht an Botenlohn, vieledle Frauen«, sprach er, »ich bringe euch die beste Kunde, die eine Mutter und eine Schwester nur hören mögen! Euer Bruder hat mit kühner Hand errungen, was er begehrt hat, und er kehrt heil zu euch zurück!«

Da wischten sich Kriemhild und Ute abermals mit ihrem Gewandzipfel die Tränen aus den Augen, aber diesmal waren es Tränen der Freude. Ute hieß Siegfried sich auf ihr Ruhebett setzen und Kriemhild sprach: »Wie könnte ich einen Königssohn mit Botenlohn bedenken, als ob er irgendein Lehnsmann wäre! Es ziemt mir nicht, Euch ein Geschenk anzubieten!« Da lachte Siegfried hellauf und sagte: »Und wenn ich dreißig Lande besäße, Kriemhild, aus Eurer Hand adelte mich noch der geringste Pfennig! Gebt mir, damit auch ich glücklich sei!«

Da sandte Kriemhild ihren Kämmerer nach dem schönsten Schmuck aus, das waren vierundzwanzig goldene Armreifen, von denen war jeder auf andere Art dicht mit Edelsteinen besetzt. Diese Reifen hätten den Großmogul beider Indien staunen gemacht, doch Kriemhild schenkte sie Siegfried, als wäre es ein Bastgeflecht, womit Kinder spielen, und Siegfried wiederum erwies sich als Ritter von edelster Art und schenkte die Klein-

---

18 Raum in einer Burg, nur für Frauen bestimmt

ode, ohne zu zögern, an Kriemhilds und Utes Mädchen weiter. Da lachte die Kemenate[18] vor Glück. Da lachte auch Kriemhild, denn sie war gewiss, dass Siegfried sich nun als Botenbrot einen Kuss erbitten würde. Sie hätte ihn gern geküsst, allein sie wagte das nicht, doch auch Siegfried wagte es nicht, sie darum zu bitten. Er sprach:»Vergönnt mir nun, vieledle Herrinnen, weiterzueilen, ich habe auch den Wormser Herren noch Wichtiges zu bestellen!« Da beurlaubten Ute und Kriemhild den Helden und Siegfried eilte zu Ortwin von Metz und überbrachte ihm König Gunthers Befehle. Er hatte kaum zu Ende gesprochen, da rüstete Worms schon zum großen Fest.

Wie Brünhild zu Worms empfangen wurde

Anderthalp des Rînes   sach man mit manigen scharn
den künic mit sînen gesten   zuo dem stade varn.
ouch sâh man dâ bî zoume   leiten manige meit.
die sie enpfâhen solden,   die wâren állé bereit.

Der Festzug, der König Gunther und seiner Braut Brünhild zum Rheinufer entgegenströmte, war unabschätzbar an Prunk und Zahl, und an seiner Spitze ritten in Samt und Smaragd die Frauen. Siegfried wurde die Ehre zuteil, Kriemhilds Zelter[19] am Zügel von der Burg bis zum Ufer zu führen, nachdem Markgraf Gero der Heidenbezwinger diesen hohen Dienst über den Hof bis zum Burgtor hin versehen hatte. Ortwin von Metz geleitete Königin Ute und sechsundachtzig Frauen in meerblauen Hauben und hundertfünfzig Mädchen mit leuchtenden Bändern im freien blonden Haar umringten die Königinnen. Die Rheinauen wimmelten von blumenbunt gekleideten fröhlichen Menschen, denn von weit her waren Ritter und Reisige zusammengeströmt, die Königin aus dem fernen Island zu bewundern und König Gunther zu lobpreisen, der ihre Stärke mit kühner Hand überwun-

---

19 Damenreitpferd

den und die Stolze hierher nach Worms gebracht. Jeder wollte die Wunderbare ganz aus der Nähe schauen, und das Gedränge war so groß, dass Schildbuckel brachen und Lanzenschäfte splitterten.

Die Schiffe mit den schneeweißen Segeln hatten am Gestade gegenüber der Zeltstadt angelegt und eine purpurgeschmückte Fähre setzte die Damen und Herren über. König Gunther führte Brünhild an der Hand. Der Glanz ihres Seidengewandes und der Glanz ihres Geschmeides stritten widereinander. Ihr Haar war schwer von Gold. Kriemhild trat ihrer Schwägerin voll Anmut entgegen, wie es die Sitte und wie es ihr Herz gebot, und die Frauen umarmten und küssten einander aufs Innigste. Auch dies geschah nach der Sitte und jedermann freute sich darob.

»Ihr sollt willkommen sein in Worms, vieledle Fürstin«, sprach Kriemhild, »willkommen im Lande der Burgunder, willkommen mir, willkommen meiner Mutter und all meinen Freunden und meinem ganzen Geschlecht!« Da umarmten sich die Herrinnen wieder, und auch die Königin Ute umarmte Brünhild, und die Königin Kriemhild küsste die Königin Brünhild auf ihren süßen Mund, und auch die Königin Ute tat dies. Da empfingen auch die Mädchen Kriemhilds die Mädchen Brünhilds mit Küssen, und nach ihnen küssten die Herren des Königs Gunther die Mädchen der Königin Brünhild, und die Ritter Burgunds und die Ritter Islands umarmten einander und führten freundschaftliche Gespräche und verglichen als Frauenkenner immer wieder ihre Gebieterinnen, die nun ganz von nah zu betrachten waren. Jedermann konnte sich überzeugen, dass keine von ihnen es nötig hatte, sich mit erborgter Schönheit zu schmücken, und wenn die Recken Islands immer wieder die herrliche Gestalt Brünhilds priesen, so rühmten die Helden Burgunds den Liebreiz der jungen Fürstin und ihre mädchenhafte Holdseligkeit.

Die Stunde quoll so über von Festesfreude, dass die Burg allein sie nicht zu fassen vermochte. Auf den Rheinwiesen waren seidene Zelte aufgeschlagen und Tribünen errichtet und Kampfplätze abgesteckt, und die Ritter und die Damen zeigten sich so begie-

rig auf Spiele und Kämpfe, dass sie keinen Augenblick länger
warten wollten. Posaunen dröhnten; Herolde[20] sprengten heran;
Gepanzerte rannten im Wettstreit widereinander; Staub wirbelte, als rauche eine Feuersbrunst übers ganze Land, und aus Stahl
und Stahl stoben prasselnde Funken, und so berauschend war
der Festestrubel, dass auch außerhalb der Arenen die Ritter zu
fechten begannen und die Schwerter von allein aus den Scheiden
fuhren, wo immer sie einander begegneten. Es war ein Rausch
aus Metall und Kühnheit und von allen tat sich Siegfried mit seinen Nibelungen am meisten hervor. Seine Ritter überwanden
jeden Gegner. Schließlich war das Getümmel so unabsehbar, dass
Hagen es zu schlichten begann. »Haltet ein, ihr vieledlen Herren!«, gebot er, »nehmt Rücksicht auf die Gewänder der Damen,
sie kommen ja zuschanden durch den vielen Staub!« Und Gernot riet: »Lasst doch die Pferde jetzt ruhen, tapferste Ritter, sie
sind ja erschöpft! Gönnt ihnen eine Rast und ruhet und rastet
auch ihr und schmaust und zecht derweilen, es ist ja alles in den
Zelten gerichtet, und wenn es dann Abend wird, geleiten wir die
Herrinnen mit Fackeln zur Burg hinauf!« So verging die Zeit bis
zum Abend im Flug über Braten und Wein und Balladen und
Reigen und den Gaukelkünsten des fahrenden Volkes. Dann zog
der Jubel in die Burg, und dort stand schon die Tafel für das Festmahl bereit, denn was in den Zelten geboten wurde, hatte nur als
ein Imbiss zu gelten. Die Damen eilten in ihre Gemächer, sich
umzukleiden, und auch die Herren hatten Gelegenheit, ihre ver-
schwitzten und zerspeerten Gewänder zu wechseln. Gunther aber
trat in die Kemenate Brünhilds und setzte ihr die Krone einer Königin von Burgund aufs Haupt.
Das Festmahl war an Pracht nicht zu überbieten. Die breit aus-
ladenden Tische waren mit goldgebortetem Linnen[21] belegt und
mit Blumen geschmückt, und Blumenkränze hingen über den
Plätzen aller Gäste. Bevor man tafelte, wurden in goldenen Becken Wasser und dazu Handtücher gebracht, dass jeder sich die

---

20 Ausrufer
21 Leinen

Finger spüle. Der Hausherr vom Rhein hatte ein strenges Auge, ob die Tafel auch Brünhild genügen könne, doch was er sah, stimmte ihn zufrieden. Mit Brünhild an der Hand schritt er durchs Spalier der Gäste zur Tafel. Das sah Siegfried. Da bat er König Gunther zur Seite.

»Gedenket Eures Eides, König Gunther«, redete Siegfried, »Ihr habt mir die Hand Eurer Schwester versprochen, wenn Brünhild nach Worms kommt, und nun ist sie in Worms. Worauf wartet Ihr noch? Wollt Ihr eidbrüchig werden?« Da sagte König Gunther: »Ihr mahnt mich mit Recht! Was ich für Euch tun kann, das will ich tun!« Er schickte einen Kämmerer aus, Kriemhild zu sich zu bitten, und die Schöne kam mit großem Geleit. Sie dachte wohl, sie werde gebeten, Brünhild zur Tafel zu führen. Da eilte ihr der junge König Giselher entgegen und sagte: »Wollet Eure Damen und Mädchen entlassen, liebe Schwester, die Sache, um die der König Euch bitten ließ, geht einzig Euch an!« – »Einzig mich?«, fragte Kriemhild erstaunt, doch sie gehorchte und entließ ihr Gefolge. Das sah Brünhild. Da ging sie allein zur Tafel und setzte sich. Sie trug die Krone Burgunds. König Gunther aber stand mitten im Saal und bei ihm standen Ritter aus vielen Fürsten Länder.

Kriemhild trat vor den König. »Vielliebe Schwester«, sprach der König, »wisse, ich habe einen Eid um dich und deine Hand geleistet, und nun mahnt man mich, dass ich ihn einlöse, wie es sich ziemt. Ich bitte dich also um deiner Treue willen, dass du zum Gatten wählest, wen ich dir bestimmt habe!« – »Da braucht Ihr mich nicht zu bitten, viellieber Bruder«, sprach Kriemhild, wie es die Sitte verlangte, »an Euch ist es zu gebieten, und an mir zu gehorchen. Wen immer Ihr mir zum Gatten gewählt, dem will ich mich nicht verweigern!« Dieweil sie aber dies sprach, suchten ihre Augen nur Siegfried. Der trat aus der Schar der Ritter, die den König umringten, und verneigte sich tief vor Kriemhild. Da wurde Kriemhild gefragt, ob sie Siegfried zum Manne nehmen wolle, und da sagte sie ja, wenn auch Befangenheit ihre Stimme zittern machte. Dann gelobte auch der junge König der Niederlande, Kriemhild zum Weibe zu nehmen, und die edelsten Her-

ren und Gäste Burgunds waren des Zeuge. Da schlossen Siegfried
und Kriemhild einander in die Arme und küssten einander vor
allen Gästen, wie es Hochzeitsbrauch war. Die tausend Nibelungen umringten ihr Herrscherpaar und geleiteten es zur Tafel, und
Siegfried und Kriemhild setzten sich auf den Platz gegenüber
König Gunther und seiner Frau Brünhild, von deren Stirn die
Krone Burgunds strahlte.

Da weinte Brünhild.

Da sprach König Gunther: »Warum weinst du, Herrin? Du solltest doch nur zur Freude Grund haben, da dir nun Burgund mit
all seinen Rittern und Burgen untertan ist!«

Da sagte Brünhild: »Wird ein Weib einem unwürdigen Mann an-
vertraut, dann ist das ein Grund zu Tränen!« Da fragte König
Gunther: »Von wem sprichst du, Herrin!« Da sagte Brünhild:
»Ich spreche von Kriemhild. Sie ist eine Königstochter und wird
einem Unfreien vergeben. Siegfried ist doch Euer Dienstmann!
Eine solche Verbindung schändet Kriemhild. Darum weine ich!«
Da sagte König Gunther: »Weine darum nicht, Herrin. Kriemhilds Vermählung ist höchst ehrenhaft. Ich werde dir das später
erklären!« Da sagte Brünhild: »Mich jammert Kriemhilds Schönheit und hoher Anstand. Ich möchte von hier fort, wenn ich nur
wüsste, wohin. Ich werde nicht eher bei Euch liegen, als bis ich
Siegfrieds Herkunft kenne!« Da sagte König Gunther: »Er ist
eines Königs Sohn. Er stammt aus den Niederlanden. Sein Vater
besitzt dort Burgen und Lande gleich mir. Er ist ein würdiger Gemahl meiner Schwester!« Da weinte Brünhild noch mehr. Da gab
König Gunther das Zeichen, dass das Festmahl beginne.

Das Festmahl währte viele Stunden. Danach wurde getanzt und
gespielt. Brünhild sprach kein Wort. König Gunther aber sprach
viel zu ihr. Er war toll vor Begierde, bei ihr zu liegen. Sobald, als
es nur eben schicklich war, hob er die Tafel auf.

Die neu vermählten Paare begaben sich zum Beilager. Auf der
Treppe umarmten und küssten Kriemhild und Brünhild einander noch einmal, wie es die Sitte gebot. Dann folgte, von Knappen und Rittern begleitet, jede der Herrinnen ihrem Gemahl ins

Schlafgemach. Da wurden Siegfried und Kriemhild einander so lieb wie das eigene Leben.

König Gunther aber ging es in dieser Nacht schlecht. Als Brünhild sich bis aufs Hemd ausgezogen hatte, blies der König die Kerze aus und versuchte sie zu umarmen, allein sie stieß ihn zurück. Sie sagte: »Ehe Ihr mir nicht Siegfrieds Geheimnis verratet, werdet Ihr nicht bekommen, wonach Euch der Sinn steht!« Da versuchte sie König Gunther zu zwingen. Dabei zerriss er ihr Hemd. Da band Brünhild den König mit dem Gürtel, den sie immer um den Leib trug, und sie hängte ihn an einen Nagel an der Wand auf, damit er sie nicht mehr belästige. Dann zog sie sich vollends aus und legte sich schlafen. Da begann der König zu bitten. Er bat: »Bindet mich los, Brünhild, und ich werde Euch nie mehr zu zwingen versuchen! Das gelobe ich bei meiner Ritterehre!« Da lachte Brünhild und ließ den König am Nagel hängen. So hing er die ganze Nacht, indes Brünhild schlief, und wenn er je Kräfte hatte, so schwanden sie diese Nacht dahin.

Als Brünhild am Morgen erwachte, sagte der König zu ihr: »Bindet mich los! Ich werde Euch nicht mehr anrühren, das gelobe ich! Wenn mich meine Diener so finden, wird es Euch schlecht ergehen!« Da lachte Brünhild und sagte: »Sie sollen nur kommen!« Da sagte der König: »Auch Ihr, Fürstin, würdet Eure Ehre verlieren, solch einen Mann zu haben!« Da sagte Brünhild: »Da habt Ihr wohl Recht!« Da gelobte der König ein drittes Mal, sie nicht anzurühren, wenn sie es nicht wünsche. Da band ihn Brünhild ab, und der König legte sich neben sie ins Bett und rührte sie nicht an, und nicht einmal sein Gewandzipfel streifte sie. Da traten auch schon die Diener in den Raum, das hohe Paar anzukleiden, wie es der Brauch war. Da sahen sie den König neben seiner Gemahlin liegen und sahen, dass der König erschöpft war und kaum noch atmete. Da sagten sie dem Hofe: »In dieser Nacht wurde dem Land ein Königssohn gezeugt!« Da läuteten die Glocken über Burgund. Dann schritten die Paare zum Münster und die Priester weihten sie in Ornat und Krone. Dann zeigten sich die vier mit freudevollem Gesicht dem Volk.

An diesem Tag wurde Schwertleite gehalten. Sechshundert Knappen empfingen aus König Gunthers Hand das Schwert und gelobten, immerdar ein würdiges Mitglied der edlen Ritterschaft zu sein. Jedermann pries sie glücklich, das Schwert von einem so auserkorenen Ritter wie dem König von Burgund, dem Besieger der grausamen Fürstin von Island, empfangen zu haben. König Gunther aber wandelte traurig durch die überschäumende Freude. Das gewahrte Siegfried. Da ahnte er den Grund von Gunthers Gram.

»Nun, König Gunther«, so sprach er, »wie ist es Euch in dieser Nacht ergangen? Habt Ihr Euch der Liebe Brünhilds erfreuen dürfen?« Da seufzte König Gunther und gestand Siegfried seine Schande, und er bat ihm bei allem, was ihm heilig wäre, stille darüber zu sein. Da sagte Siegfried: »Was Euch da widerfahren ist, mein König, das kränkt auch meine Ehre, bin ich doch jetzt Euer Anverwandter! Gebt mir freie Hand und vertraut mir, so will ich Euch die stolze Fürstin gefügig machen!« Da war König Gunther von Herzen froh. Da sagte Siegfried: »Ich tue es nur um Kriemhilds willen, seid Ihr doch nun mein lieber Bruder!«

Da fragte der König: »Wie gedenkst du das anzufassen?«

Da sprach Siegfried: »Meine Tarnhaut soll mir gute Dienste tun! Heute Nacht komme ich heimlich in Euer Schlafgemach und blase den Kämmerern die Kerzen aus. Dann will ich Euer Weib zur Liebe zwingen!« Da sagte König Gunther: »Tu mit meiner lieben Frau, was dir richtig scheint, es darf nur nicht meine Ehre kränken! Du magst sie schlagen, du magst ihr auch das Leben nehmen, denn sie ist ein schreckliches Weib, nur auf ihr liegen darfst du nicht, das ginge wider meine Ehre!« Da sagte Siegfried: »Ihr könnt mir vertrauen! Ich werde Euer Eherecht nicht kränken. Ich tue es um Kriemhilds willen, denn ich liebe sie über alle Frauen!« Da wurde es König Gunther leichter ums Herz und er kehrte zum Fest zurück.

Der Tag war lang und von Freude durchrauscht. Die Ritter überboten einander im Turnierspiel und sie gaben sich derart dem Wettstreit hin, dass man sie schließlich gewaltsam trennen musste.

Es waren auch geistliche Herren gekommen, zwei Bischöfe, die führten die Königinnen zur Tafel. Das Mahl war überaus prächtig und voller Kurzweil, allein König Gunther dünkte es dreißig Jahre lang, so sehr stand ihm der Sinn nach der schönen Brünhild.

Endlich wurde die Tafel aufgehoben und die hohen Paare gingen in ihre Gemächer. Kriemhild setzte sich auf ihr Bett und fasste Siegfrieds Hände und tändelte mit ihnen. Ihr Gesinde war noch im Gemach. Plötzlich war Kriemhilds Hand leer und Siegfried verschwunden.

Da sprach die Schöne verwundert: »Wohin verschwand mein Herr? Wer nahm unsre Hände auseinander?« Wie ein Echo fragte sie leise: »Wer hat das bewirkt?« Dann sprach sie nichts mehr.

Indes schritten Brünhild und Gunther feierlich, wie es die Sitte verlangte, zum zweiten Beilager durch die Burg. Kämmerer und Hofdamen mit brennenden Lichtern geleiteten sie. Die Augen aller Ritter und Knappen hingen an Brünhild. Wie viele beneideten da König Gunther! Hundert der edelsten Junker, die an diesem Tag ihre Ritterweihe erhalten hatten, standen auf den Gängen und Treppen Spalier. Als der König mit Brünhild ins Schlafgemach trat, verlöschte plötzlich ein Windstoß die Lichte. Da stutzten alle, denn die Fenster waren der Kühle vom Rhein herauf wegen verhangen. Da hieß Gunther das Gefolge sich entfernen und verriegelte die Tür. Dann verbarg er sich hinter dem Vorhang, der das Bett samt Polster und Stufen umgab. Sein Herz war zerrissen von Liebe und Leid. Es war völlig dunkel. Siegfried legte sich neben Brünhild, die sich auszog.

Brünhild sagte: »Lass das, Gunther! Sonst geht es dir noch schlimmer als die letzte Nacht!« Da umarmte sie Siegfried und Brünhild wehrte sich. König Gunther aber stand hinter dem Vorhang und sah nichts und lauschte. Er hörte, dass die beiden rangen. Dann krachte ein Leib auf die Stufen und Siegfried schrie auf. Dann rangen wieder zwei Leiber. Sie rangen erbittert. Dann hörte der König, dass die Königin schrie.

Sie schrie: »Rührt mein Hemd nicht an! Tut Eure Hand da weg! Wagt das ja nicht! Nun sollst du's bereuen!« Dann hörte der König

Keuchen und Kämpfen. Dann hörte er Siegfried aufschrein wie in Todesnot. Dann schrie Brünhild wie ein Tier und das Bettzeug dröhnte und krachte. Es dröhnte und krachte eine Ewigkeit. Dann hörte der König Brünhild bitten: »Lass ab!« Dann flehte sie: »Edler König, lass ab! Ich wehre Euch fortan nichts mehr! Lasst ab, ich bitt Euch, Ihr tötet mich ja! Ich bin deine Magd! Ich habe gespürt, du kannst Frauen zähmen!« Dann stöhnte Brünhild. Dann schwieg sie. Dann fühlte sich König Gunther an der Schulter gefasst. Da fühlte er, dass Siegfrieds Hand blutig war.

»Die Teufelin hat mich gequetscht, dass mir das Blut aus den Nägeln gespritzt ist!«, flüsterte Siegfried dem König ins Ohr. »Ohne die Tarnhaut mit ihren Zwölfmannskräften hätte ich sie nimmer bezwungen! Doch ich habe nichts wider die Ehre getan. Was ich getan habe, tat ich für Kriemhild. Nun geh und liege bei deinem Weib, König Gunther!« Da schlüpfte der König hinter dem Vorhang hervor und legte sich neben Brünhild. Sie lag und rührte sich nicht. Da wagte er, sie anzurühren, und sie duldete auch dies. Da war mit ihrer Jungfräulichkeit ihre Kraft gebrochen und sie wurde bleich unter Gunthers Liebe. Fortan war sie nicht anders als andere Frauen.

Siegfried aber lag plötzlich wieder neben Kriemhild. Da fragte sie ihn, wo er gewesen. Die Fragen hatte sie genau überdacht. Doch Siegfried sollte ihr's nicht sagen. In dieser Nacht sagte er nichts, und er sagte es Kriemhild auch nicht, solange sie in Burgund waren. Aber später verriet er ihr's doch. Er hatte Brünhild auch den Gürtel, mit dem sie ihn wie Gunther hatte binden gewollt, vom bloßen Leib genommen und auch einen goldenen Fingerring. Er hatte es aus Übermut getan, doch er zog keinen Nutzen daraus. Er besaß viele Dinge, aus denen er keinen Nutzen zog. Später schenkte er Kriemhild Gürtel und Ring. Das war, da er ihr von Brünhild erzählte, damit kein Geheimnis zwischen ihnen sei. Daraus musste Schreckliches entstehen.

Die Hochzeitsfeierlichkeiten währten zwei Wochen. Sie vergingen wie nichts. Das Glück des Herrn über Burgund funkelte ohne Maßen. Die Schätze, die er verstreute, waren nicht zu zählen. Auch Siegfried verschenkte alle Habe, die er an den Rhein gebracht hatte, und auch seine Nibelungen verschenkten all ihre Gewänder und Sättel und Rosse. Sie wussten, was braven Rittern ziemte. So endete alles in Glanz und Lust.

Wie Siegfried mit seinem Weib in die Heimat zurückkehrte

Dô die geste wâren   alle dan gevarn,
dô sprach ze sînem gesinde   Sigemundes barn:
»wir suln uns ouch bereiten   heim in mîniu lant.«
liep was et sînem wîbe   do ez diu vrouwe rehte ervant.

Die letzten Gäste waren schon fortgezogen, da sprach auch Siegfried zu seinen tausendundelf Kriegern: »Nun wird es höchste Zeit, dass wir aufbrechen! Mich verlangt es heimzukehren, und dies schnell!« Solche Worte vernahm Kriemhild mit Freude. Doch als sie hörte, dass Siegfried noch am selbigen Tag aufbrechen wollte, widersetzte sie sich entschieden. Sie sprach: »Mein viellieber Herr, ich rate Euch sehr, nicht derart zu drängen! Ich möchte erst, dass meine Brüder mir meinen Anteil an Land und Mannen aushändigen!« Da sagte Siegfried ungehalten: »Warum willst du denn darauf pochen? Dir gehört mein Land und es ist reich! Es ist hohe Zeit, dass wir von hier weggehen!« Aber Kriemhild wollte von ihrem Anteil nicht lassen.
Da kamen die drei Schwäger Gunther, Gernot und Giselher zu Siegfried, die Abfindung zu besprechen. »Vieledler Bruder und Schwager«, so redeten sie, »vernehmt unser ritterliches Wort, dass wir Euch bis zu Eurem Tode in steter Treue verbunden sein wollen und niemals von unseren Pflichten lassen werden!« Solche Rede tat Siegfried wohl und er dankte dem edlen König von Herzen für dieses noble Anerbieten.
»Wir wollen nun mit Euch teilen«, sagte der junge Giselher, »das Land und die Burgen und die Mannen und alles, was uns sonst

eigen ist, auch unsere Hoheiten und Gerechtsamen wollen wir teilen!« Da erwiderte Siegfried: »Ihr seid wirklich großherzig! Euer Edelmut muss mich beschämen! Möge Gott der Herr Eure Lande und auch das Volk darin stets blühen und gedeihen lassen! Mein liebes Weib braucht ihren Anteil nicht. Die Macht einer Kö- nigin der Niederlande kann nichts mehr steigern! Und was mich betrifft, so stehe ich Euch jederzeit zu Diensten, Ihr braucht es mich nur wissen lassen!«

Da sagte Kriemhild: »Wenn Ihr so leichtfertig Eure Mitgift aus- schlagen wollt, viellieber Gemahl, so tue ich's darum mit mei- nem Erbe noch lange nicht! Verzichte ich schon auf das Land, so nie auf das Gefolge. Vasallen aus Burgund weiß selbst der mäch- tigste Fürst noch zu schätzen! Ich will auf meinen Anteil beste- hen!«

»So nimm dir, wen du haben möchtest«, erwiderte Gernot, »es gibt hier ja manche, die gerne mit dir ziehen möchten! Wähle tausend aus von unsern dreitausend, sie sollen dir zu Diensten stehen!«

Da schlug Kriemhild den Herren Hagen von Tronje und Ortwin von Metz vor, mit ihr zu ziehen und ihre Lehensmannen zu sein. Da geriet Hagen in furchtbaren Zorn und er schrie: »König Gun- ther hat nicht das Recht, uns zu verschenken! Nehmt Eure Leute mit nach Xanten; wir Tronjer bleiben unseren Herren am Rhein treu! Wir sind ihre Mannen gewesen und werden es immer sein! Ihr müsstet uns darin doch kennen, Frau Kriemhild!«

Da bat Kriemhild Hagen nicht mehr und auch nicht mehr andere Herren. Sie rief ihr Hofgefolge zusammen, das waren zweiund- dreißig Mädchen und fünfhundert Mann. Markgraf Eckewart schloss sich Siegfried an. Dann nahm man Abschied mit Tränen und Küssen, wie es die Sitte gebot.

König Gunther sandte Boten aus, dass den Reisenden wo immer sie es auch wünschten, Quartier bereitet werde. Andere Boten jagten nach Xanten, Siegfrieds und Kriemhilds Ankunft zu mel- den. Da weinten Siegmund und Sieglind voll Glück, und sie spen- deten von Herzen gern leuchtenden Samt und schweres Gold als

55

Botenbrot. König Siegmund sagte: »Wenn mein Sohn heil heim-
kehrt, so soll er statt meiner den Thron besteigen! Wie wird mein
Herz da der Seligkeit voll sein!«

Da rüstete man in Xanten zum großen Fest, und als man es feier-
te, staunten sogar die prachtgewöhnten Ritter aus Worms ob dieses Aufwands. Solche Wunderdinge an Kleidung und Schmuck
und Waffen hatten sie selbst am Burgunder Hof nicht zu sehen
bekommen! Die Mägde trugen Kleider aus karmesinrotem Pfellel, der war völlig mit Perlen überstickt, und jede Perle war eigens in Gold gefasst, und auch jede Naht war aus Gold, und das
Gold war abermals mit Gold umschlossen. Solcher Aufwand war
unerhört, und die fünfhundert Ritter priesen sich glücklich, von
Kriemhild an solch einen milden Hof gezogen zu sein.

Siegmund aber trat seinem Sohn Siegfried feierlich vor dem Hof-
rat die Krone ab. Des waren die Herren wohl zufrieden und Siegfried regierte zehn Jahre lang zum Ruhme der Ritterschaft. Er
wusste das Recht zu wahren und die Schwachen zu schützen. Das
Volk liebte ihn und die Friedensbrecher und Räuber fürchteten
seine machtvolle Hand. In diesen Jahren starb Frau Sieglind und
Kriemhild gewann ihre Krone. Siegfried aber vereinte die Niederlande mit dem Reiche der Nibelungen und wurde so zum mächtigsten König. Die Fülle seines Hortes war unermesslich und unermesslich war auch sein Glück.

Auch König Gunther und seine Brüder Gernot und Giselher re-
gierten in Worms so gerecht und gut, wie es braver Ritter Pflicht
ist. So vergingen zehn Jahre.

Wie König Gunther Siegfried zum Hoffest lud

Nu gedâht ouch alle zîte   daz Gunthers wîp:
»wie treit et alsô hôhe   vrou Kriemhild den lîp?
nu is doch unser eigen   Sîfrît ir man:
er hât uns nu vil lange   lützel diensté getân.«   5

In diesen zehn Jahren aber sann Brünhild unaufhörlich Siegfrieds
Geheimnis nach. Sie dachte: Wieso konnte sich Kriemhild damals
derart brüsten? Wieso kommt Siegfried nie an unsern Hof, wo er
doch unser Lehnsmann ist? Warum ist er ungestraft so säumig?
Warum schickt er uns keine Steuern? Warum hat er uns nie einen   10
Krieger gestellt?
Diese Sorge fraß ihr am Herzen, wenn sie's auch nicht verriet.
Zehn Jahre sorgte und sann sie so. Dann hielt sie es nicht mehr
aus.
Sie sagte ihrem Gemahl: »Ich möchte die edle Kriemhild gern   15
wieder sehn!« König Gunther aber war froh, Siegfried fern zu
wissen. Er sagte deshalb: »Das ist unmöglich, vielliebe Frau, wie
sollte ich meine Schwester denn herrufen können? Sie wohnt ja
so schrecklich weitab. Ich mag sie nicht gern darum bitten und
befehlen kann ich ihr's nicht!« Da sagte Brünhild: »Einen Lehns-   20
mann kann man doch einfach beordern! Ihr braucht Siegfried
nur zu rufen und schon wäre mein Herzenswunsch erfüllt! Wirklich, ich verzehre mich vor Sehnsucht nach Kriemhild! Ich muss
immer daran denken, wie glücklich wir auf unserer Hochzeit zusammen saßen und plauderten! Sie hat weiß Gott einen wackeren   25
Mann bekommen!«
So redete Brünhild immer wieder, und sie drängte Gunther so
lange, bis er schließlich Markgraf Gero mit dreißig Rittern aus-
sandte, Siegfried und Kriemhild in Xanten aufzusuchen, sie in
allen Ehren zu grüßen und König wie Königin noch vor der   30
Sonnenwende zu einem glänzenden Fest nach Worms zu bitten.
Die dreißig waren über drei Wochen unterwegs, denn sie trafen
Siegfried in Xanten nicht an und mussten ins Nibelungenland

weiterreisen. Das lag in Norwegen und bis dort hinauf war es ein weiter Weg. Als die Boten Burgunds endlich dort ankamen, waren sie samt ihren Rossen zu Tode erschöpft.

Kriemhild jubelte, als sie vom Fenster aus die vertraute burgundische Tracht des Markgrafen und seiner Mannen erblickte. Wie glücklich die Schöne da war, wie froh ihr Herz da schlug! »Ich traue meinen Augen nicht, seht doch auch Ihr«, so sprach sie zu Siegfried, »steht da wirklich Herr Gero mit Kriegern aus Worms unten im Hof? Ich bitte Euch, empfangt sie freundlich. Gewiss sendet sie mein Bruder Gunther! Hoffentlich bringen sie gute Nachricht!« Da sagte Siegfried: »Sie sollen uns willkommen sein!« Siegfried und Kriemhild empfingen die Boten höchst ehrenvoll. Sie boten ihnen Wein an und hießen sie sich setzen. Allein so müde Markgraf Gero auch war, er dankte und sagte, er wolle sich seiner Botschaft stehend entledigen, wie es sich vor einem König gezieme. So überbrachte er die Grüße und die Einladung König Gunthers aufs Würdigste. »Gott lohne Euch diesen Dienst, vieledler Ritter«, sprach Siegfried, als Gero geendet hatte. »Ihr habt uns wahrhaftig die liebste Kunde gebracht! Meine Frau denkt gewisslich nicht anders darüber! Wir sind glücklich zu hören, dass es Frau Ute und meinen lieben Schwägern gut geht und dass ihr Land sich des Friedens erfreut. Wir würden sie gerne auch wieder sehen, allein der Weg ist weit und die Reise beschwerlich; das sage ich nicht um meinet-, das sage ich um Kriemhilds willen!« Da sagte Gero: »Auch die Königin Brünhild bittet Euch sehr! Sie verzehrt sich vor Sehnsucht, die holde Schwägerin in die Arme zu schließen!« Da freute sich Kriemhild, und sie sagte ihrem Mann, dass sie gern fahren wolle.

Die Boten wurden aufs Trefflichste beherbergt und bewirtet und blieben zehn Tage im Nibelungenland. Siegfried beriet sich indes mit seinen Recken. Er bat auch seinen Vater Siegmund, der sich gerade in Norwegen aufhielt, um Rat. Da sprachen die Nibelungen: »Wir sind unser tausend. Wir schützen Euch. Fahrt getrost, wenn Ihr es für gut haltet!« Auch Siegmund riet sehr zu dieser Reise und sagte, er werde selbst seinen lieben Sohn Sieg-

fried und seine liebe Tochter Kriemhild mit hundert auserlese-
nen Rittern begleiten; er freue sich so sehr, Worms einmal zu
sehen und bei einem burgundischen Fest zugegen zu sein! Da
sagte Siegfried zu Markgraf Gero, er nehme die Einladung des
Königs mit Dank und Ergebenheit an und werde noch vor Sommersonnenwende in Burgund eintreffen, obwohl der Weg dahin
über dreißig Lande führe. Da rüstete man mit Macht zur Fahrt
und der Markgraf Eckewart wurde von Siegfried zum Reisemar-
schall bestellt.
Reich beschenkt kehrte Markgraf Gero mit seinen Mannen nach
Worms zurück. Man sagt, Kriemhild habe ihm so viele Schätze aufgeladen, dass die Pferde zusammenbrachen und man Lastwagen beschaffen musste. Lautes Staunen erhob sich dann auch
am Rhein, als die Ritter ihren Botenlohn zeigten. Solche Reichtümer hatte man in Worms noch nicht erblickt und jedermann
war der Bewunderung voll. Da sagte Hagen: »Herr Siegfried hat
leicht große Geschenke machen! Ihm steht der Nibelungenhort
zu Diensten! Ah, wenn der einmal nach Burgund käme! Er sollte
uns mächtig machen über alle Welt!«

Wie Siegfried mit seinem Weibe zum Hoffest reiste

*Alle ir unmuoze   di lâzen wir nu sîn
und sagen wie vrou Kriemhilt   unt ouch ir magedîn
gegen Rîne fuoren   von Nibelunge lant.
nie getruogen mære   sô manic rîché gewant.*

Kriemhild war überglücklich, wieder nach Worms zu kommen.
Sie ließ ihre Mädchen Kästen und Truhen füllen, als wollte sie
ganz Burgund mit Seide auslegen und das Bett des Rheins mit
Geschmeide polstern. Auch Siegfried freute sich, König Gunther
und seine Herren wieder zu sehen, und König Siegmund war
glücklich ob seiner Kinder Glück. So zog man wohlgemut auf die
weite Reise, und keiner ahnte, dass es ins Verderben ging.

König Gunther rüstete indes für den würdigsten Empfang. Er ließ seine Gemahlin zu sich bitten und fragte: »Erinnert Ihr Euch, liebste Herrin, wie Euch seinerzeit Kriemhild willkommen geheißen? Ich wünschte sehr, dass Ihr meine Schwester nicht minder freundlich empfinget und also Gleiches mit Gleichem vergeltet!« Da sagte Brünhild: »Ich höre gern, dass Kriemhild kommt. Sie ist mir teuer und ich werde sie würdig empfangen!« – »Sie treffen schon morgen früh ein«, sagte König Gunther, »macht Euch bereit, ich bitte Euch sehr!«

Es wurde ein glänzender Empfang, und wer sich erinnern konnte, meinte, dass Brünhilds Aufwand noch größer war als seinerzeit die Vorkehrungen Kriemhilds. Die beiden Frauen umarmten und küssten einander wohl tausendmal. Sie hatten sich in nichts verändert. Es war, als ob die Zeit stehen geblieben und das verflossene Jahrzehnt nur ein Nu gewesen wäre.

König Siegmund war hoch beglückt. Er sah, wie sein Sohn von allen Herren und Kriegern mit der größten Herzlichkeit empfangen wurde. Nur ein Ritter ohne Tadel und Fehler wird so geliebt. Da sprach Siegmund zu König Gunther: »Gott möge es Eurer Sippe lohnen, vieledler König, dass wir solches Heil von ihr empfangen und erfahren haben! Schon lange wollte ich Euch das sagen! Wie froh bin ich, dass ich noch vor meinem Hingehen dazu Gelegenheit habe! Es hat mir auf dem Herzen gebrannt!«

Da sagte König Gunther: »Euer Glück und das meine sind eins! Nun möge das Fest beginnen! Nie war ein Anlass je günstiger!«

So begann das Fest. Die Herren Hagen von Tronje und Ortwin von Metz leiteten seinen Ablauf. Sie hatten an alles gedacht und sorgten sich unermüdlich um ihre Gäste. Nichts entging ihrer Aufmerksamkeit. Die Spiele waren großartig, die Tafel köstlich, die Quartiere behaglich, die Kurzweil voll Lust. Kein Wunsch blieb unbefriedigt, kein Begehr unerfüllt, kein Gebot der Höfischheit unbefolgt. Wahrhaftig, da gab es kein Ruhmeswort, das glänzend genug gewesen wäre für der beiden Verdienste.

Zur Tafel erschien Siegfried immer mit all seinen Kriegern, und das waren elfhundert. Sie saßen um ihn wie ein Ring aus spie-

gelndem Stahl. Da dachte Brünhild: Das soll ein Lehnsmann sein, und er tritt wie ein Herr auf! Das ist höchst sonderbar!
Allein ihre Frage ertrank in der Festesfreude und darüber war auch Brünhild froh. Sie gönnte Siegfried ehrlich sein Glück. Sie war freundlich zu Kriemhild. Die beiden Königinnen zeigten sich nur gemeinsam; sie schritten gemeinsam zur Kirche und zum Turnierplatz und ihre Gefolge waren eins. So ging es zehn Tage lang. Dann aber begann der elfte Tag.

Wie die Königinnen einander beschimpften

Vor einer vesperzîte   huop sich grôz ungemach,
daz von manigem recken   ûf dem hove geschach.
si pflâgen ritterschefte   durch kurzewîle wân.
dô liefen dar durch schouwen   vil manic wîp unde man.

Am elften Tag ergab es sich in der Abendstunde beim letzten Turnier, dass die Königinnen zusammensaßen und dem Lanzenstechen zuschauten und dabei jede an einen Helden dachte. Die Wappen aller Herren Länder prangten von den Waffenröcken der Kämpfer. Plötzlich sagte die schöne Kriemhild: »Ich habe einen Mann, der verdiente wohl, Herr über all diese Länder zu sein!« Da fragte Brünhild erstaunt: »Wie willst du dir das denn vorstellen, Liebes? Da müsstet ihr ja beide allein auf der Welt sein, denn solange Gunther lebt, ist das bloß ein Traum!« – »So sieh ihn doch an!«, erwiderte Kriemhild, »sieh doch nur, wie er dort vor den Recken steht! Der herrscherliche Mond vor dem Gefolge der Sterne! Gott, wie bin ich stolz auf ihn!« – »Nun ja, er ist tüchtig und sieht gut aus, und man mag ihn wohl leiden«, entgegnete Brünhild, »doch mit deinem Bruder Gunther kann er sich nicht messen! Der steht über allen Kronen, das weißt du doch genau!«
In der Kampfbahn splitterten die Speere.
Da sagte Kriemhild: »Höre, ich habe nicht ohne Grund so stolz von meinem Mann gesprochen! Er hat sich oftmals als ehrenvol-

ler Held erwiesen. Du kannst mir schon glauben, Brünhild, dass er Gunther ebenbürtig ist!«

Da wurde Brünhild verstimmt und sie sagte: »Nimm es mir bitte nicht krumm, Kriemhild, aber ich hab's ja schließlich aus beider Mund gehört! Auf Island, wo ich sie das erste Mal im Leben erblickte und wo Gunther mich im ritterlichen Kampf besiegt und mich mit seiner Umarmung beglückt hat, da nannte dein Siegfried sich selbst meines Gunthers Dienstmann, und er hat ihm das Pferd zum Aufsitzen gehalten, das hab ich gesehen, und er hat sich von ihm auf eine Dienstfahrt schicken lassen, das habe ich schließlich auch gesehen! Wenn er sich selbst als unfrei bekannt hat, so darf ich ihn wohl auch so nennen!« – »Meinst du denn wirklich«, sagte darauf die schöne Kriemhild verärgert, »meine Brüder hätten mir solch einen Schimpf angetan und mich einem Leibeigenen vergeben? So Übles hätte geschehen können? Ich bitte dich bei unsrer Freundschaft, Brünhild, solche Reden zu lassen!«

Da rief des Königs Weib: »Ich kann aber darüber nicht schweigen! Ich sehe nicht ein, warum ich auf all die Ritter und Dienste verzichten soll, die Siegfrieds Lehnspflicht uns bringen müsste!«

Da sprang Kriemhild auf, sie war rot vor Zorn. »Du wirst dich endlich damit abfinden müssen, keinen Anspruch auf Siegfried und mich zu haben!«, sprach sie. »Mein Mann ist von edlerem Geschlecht als mein Bruder! Es ist doch komisch, dass er dir Zins und Dienste so lange vorenthalten konnte, wenn du unsere mächtige Herrin bist und er dein Leibeigener! Und jetzt hör auf, davon zu reden! Ich habe deinen Hochmut satt!«

Da wurde Brünhild rot vor Zorn. »Du wirst überheblich!«, schrie sie, »jetzt wollen wir endlich einmal klarstellen, wem hier die Ehre der Herrin zukommt!« – »Das soll sofort geschehen!«, rief da Kriemhild, »heute Abend beim Kirchgang soll alle Welt sehen, dass ich die Frau eines Freien bin! Ich werde vor Gunthers Weib in den Dom gehen und ich warne dich, mich aufzuhalten Brünhild, ich warne dich! Siegfrieds Frau steht über allen Kronen!«

In der Kampfbahn verschollen Lärm und Staub. »Das wird sich ja zeigen«, sagte Brünhild, »heute Abend beim Kirchgang! Wenn du keine Lehnsfrau sein willst, so erscheine nur mit getrenntem Gefolge! Dann wirst du gewahren, wer Königin ist!«

»Bei Gott«, rief da Kriemhild, »so soll es geschehen! So soll es also und also geschehen!«

Da eilten die Königinnen in ihre Gemächer. »Auf, Mädchen«, sprach Kriemhild, »legt euer bestes Gewand an und tut euren prächtigsten Schmuck um! Heut Abend beim Kirchgang gilt es zu zeigen, wer wir sind!« Das ließen sich die Mädchen und Frauen nicht zweimal befehlen und auch Kriemhild traf beim Ankleiden ihre Anstalten. Strahlend in Purpur und rotem Gold schritt sie zur Abendandacht, gefolgt von dreiundvierzig Jungfrauen in sonnenhafter arabischer Seide und tausend Nibelungen in Stahl. Die Reichtümer dreißiger Königreiche waren ein Nichts gegen das Gewand auf dem Leibe nur eines der Mädchen. Da staunte das Volk auf der Straße und wunderte sich und sagte: »Was ist geschehen, dass die Königinnen nicht gemeinsam zur Mette²² gehen? Sie haben sich wohl zerstritten! Lasst uns davon nicht so laut reden! Wer weiß, was daraus entsteht!«

Vor dem Münster wartete schon Brünhild. Auch sie strahlte in Purpur und rotem Gold. So stießen sie aufeinander.

»Halt ein!«, sprach Brünhild. »Halt ein! Vor der Königin tritt die Frau eines Dienstmanns zurück!«

»Du hättest schweigen sollen«, sagte da Kriemhild. »Doch da du es nicht anders willst, soll deine Schande offenbar werden! Wie wurde die Hure eines Dienstmannes wohl Königin?«

»Wen schimpfst du eine Hure?«, fragte da des Königs Weib.

»Dich schimpfe ich so«, sprach Kriemhild, »es war mein Mann und nicht mein Bruder, der dich zuerst gehabt hat! Es war ein schlauer Plan und du bist darauf hereingefallen! Wie hätte ein Dienstmann dich wohl entjungfern dürfen!«

Da schrie Brünhild. »Das ist nicht wahr! Das melde ich dem König!«

»Ja, tu's nur«, schrie da auch Kriemhild, »tu's nur! Es soll alles ans Licht kommen! Du hast mich in deiner Hoffart zur Leibei-

---

22 Messe

genen machen gewollt, so fahre dafür hinunter in deine Schande! Ich habe lange genug geschwiegen! Nun muss die Wahrheit ans Licht!«

Da weinte Brünhild. Da betrat Kriemhild vor der Königin von Burgund die Kirche. Da wurden lichte Augen trübe vor Hass.

Die Mette begann. Herrliche Stimmen sangen Gottes Ruhm und Ehre. König Gunthers Weib aber hörte sie nicht. Sie dachte: Wenn Siegfried das wirklich gesagt hat, so muss er sterben. Das letzte Wort des Priesters war noch nicht gesprochen, da ging sie mit ihrem Gefolge hinaus.

Vor dem Münster wartete sie auf Kriemhild. Die erschien im Gefolge der Nibelungen. »Ihr habt mich Hure geschimpft«, sagte Brünhild, »wie wollt Ihr dieses Schandwort beweisen? Glaubt Ihr, ich ließe mich derart verleumden? Heraus mit Eurem Beweis!«

Da sagte Kriemhild: »Kennt Ihr diesen Ring? Nicht wahr, er gehört Euch! Mein Siegfried zog ihn Euch vom Finger, als er Euch die Unschuld genommen hat.«

Das war Brünhilds schwerste Stunde. Der blinde Zorn übermannte sie und sie schrie: »Nun weiß ich endlich, wer mir den Ring gestohlen hat! Ich vermisse ihn schon lange! Er lag in meiner Truhe und jeder Dieb konnte ihn nehmen!« Da raffte Kriemhild ihren Mantel, ihr Kleid und ihr Hemd auf. »Und was ist das?«, schrie sie, »kennst du diesen Gürtel? Ich trage ihn auf dem Leib, so wie du ihn getragen. Den hast du nie abgelegt! Kein Dieb hätte dir ihn stehlen können. Mein Siegfried hat ihn dir genommen.«

Da brach Brünhild auf den Stufen zusammen.

Nach einer Weile fasste sich die Königin und sagte: »Meldet dies alles dem König! Seine Schwester hat hier behauptet, Siegfried habe mich als Erster besessen!« Da eilten die Boten. Alsdann erschien der König mit seinem Hof.

»Wer hat gewagt, euch zu kränken, vielliebe Herrin?«, rief er, da er Brünhild weinen sah. Da sagte Brünhild: »Eure Schwester hat mich Siegfrieds Hure genannt!«

Da sagte Gunther: »Das war übel von ihr!«

Da sagte Brünhild: »Sie trägt meinen Ring und meinen Gürtel, die ich beide seit langem vermisse. Sie sagt, ihr Mann habe mich entjungfert, und dies seien seine Pfänder! Ich kann nicht weiterleben, wenn du diese Schmach nicht von mir nimmst!«

Da wurde König Gunther grau und biss sich auf die Lippen und sagte: »Man soll sofort nach Herrn Siegfried von den Niederlanden senden, dass er erscheine und Zeugnis ablege, ob er sich dessen, was ihm vorgeworfen wird, je öffentlich gerühmt hat! Er soll es eingestehn oder widerlegen!« Da rannten die Boten. Als Siegfried erschien und die Frauen weinen sah, sprach er in Arglosigkeit: »Was weinen die Frauen? Was ist hier geschehen?« – »Ungutes«, erwiderte König Gunther, »meine Frau Brünhild klagt dich hier an, du habest geprahlt, sie als Erster geliebt zu haben. Dein eigenes Weib Kriemhild hätte das behauptet!«

Da sagte der starke Siegfried: »Wenn mein Weib so etwas geredet hat, so will ich dafür sorgen, dass es sie reut! Ich kann dir vor allen den Herren hier eidlich erklären, dass ich das nie gesagt habe!«

Da sprach der Fürst vom Rhein: »Das musst du aber eidlich erhärten, und zwar in aller Form! Bist du auf der Stelle zu schwören bereit, so spreche ich dich frei von jedem Verdacht!« Da bildeten die Herren einen Kreis, wie es bei feierlichen Schwüren der Brauch war, und Siegfried trat in ihre Mitte. Er hob die Schwurhand, doch ehe er noch ein Wort hatte sagen können, rief der König hastig: »Eure Unschuld ist mir wohl bekannt, Ritter Siegfried! Ich erlasse Euch den Eid! Ihr habt nicht getan, wessen Euch meine Schwester beschuldigt! Das ganze ist eine böse Verleumdung!«

Da blickten die Ritter einander wortlos an.

Da sagte Siegfried: »Es tut mir unendlich Leid, dass mein Weib Brünhild so tief gekränkt hat, und es wird ihr nicht straflos durchgehen, verlasst Euch darauf! Man soll die Frauen erziehn, freche Reden zu lassen! Verweise du es deinem Weibe, dem meinen verweise ich es gewiss! Wahrlich, ich schäme mich, dass sie die Sitten so gröblich verletzt hat! Sie hat sich benommen wie eine Bauernmagd!«

Da weinten beide Königinnen.

Indes war es dunkel geworden und alle gingen in ihre Gemächer. Die Nibelungen geleiteten Kriemhild vom Münster zur Burg. Während des Weges übten sie sich im Schlagen und Stechen. Da wollten die Burgunder zu den Waffen greifen, allein König Gunther untersagte es ihnen. Fortan blieb Feindschaft zwischen den Gefolgen. Siegfried aber war nicht bei seiner Frau.

Obwohl es schon spät war und die Zeit dazu unziemlich, ließ sich Hagen von Tronje noch bei Brünhild melden. Sie empfing ihn sofort. »Nun muss Siegfried ernten, was er gesät hat«, sagte er, »sonst wird keiner von uns mehr froh!« Da traten auch Gernot und Ortwin in Brünhilds Gemach. »Was soll nun werden?«, fragte Brünhild. – »Man muss Siegfried töten«, sagte Hagen. Da nickten Gernot und Ortwin. Da lachte Brünhild.

Nun kam auch Giselher in Brünhilds Gemach. Als er von den Plänen erfuhr, sprach er entsetzt: »Vieledler Ritter, was wollt Ihr da tun? Siegfried hat solchen Hass nicht verdient! Es war doch nichts als Weibergeschwätz, das kann man doch nicht so wichtig nehmen!«

Da sagte Hagen: »Sollen wir einen Kuckuck hier aufziehn, dass er uns alle aus dem Nest wirft? Man muss doch blind sein, um nicht zu sehen, dass hier eine Hand nach Burgund greift! Er oder wir, das ist die Frage!«

Da trat König Gunther in Brünhilds Gemach. Er sagte noch unter der Tür: »Ihr Herren, ich will keinesfalls Siegfrieds Tod! Er hat uns immerdar Hilfe erwiesen! Wie sollte ich ihm da zürnen! Ich möchte nicht, dass man ihm ein Leid tut!«

In dieser Nacht kamen alle hochedlen Herren Burgunds in Brünhilds Gemach. Sie rieten und wogen Verlust und Gewinn. Ortwin von Metz sagte: »Was redet ihr da immer von Siegfrieds Stärke! Ich erbiete mich, ihn zu töten, wenn es der König erlaubt!« Da sagte König Gunther: »Wir haben alle Heil und Gewinn aus seiner Stärke und seinen Gaben gezogen! Wir sollten sie auch ferner nutzen! Er dient uns gewiss jetzt treuer denn je! Sollte er aber etwas wittern, bleibt keiner von uns verschont! Bedenkt: Er ist unmäßig stark und am ganzen Leib gehörnt!«

Da verließen manche Herren stumm das Gemach. Hagen aber sagte: »Jeder Zauber hat seine taube Stelle! Auch Siegfried wird nicht unverwundbar sein! Hat er aber ein Geheimnis, so wird er es Kriemhild verraten haben! Er ist von der Art, die ihr Herz teilen müssen!«

Da sagte einer: »Kriemhild ist nicht dieses Schlags. Sie wird schweigen.« Da sagte Hagen: »Sie ist von unserem Stamm und unserer Sippe. Bedenkt: Ihr wurde die schlimmste Schmach angetan!«

Da schwiegen alle Herren.

König Gunther aber sprach: »Wir wollen Hagen vertrauen! Lasst uns nach seinem Ratschlag handeln! Er hat schon immer Burgund zum Heil gereicht!«

Wie Siegfried verraten wurde

An dem vierden morgen   zwên' und drizec man
sach man ze hove rîten.   daz wart dô kunt getân
Gunther dem vil rîchen   im wœre widerseit.
von lüge erwuohsen vrouwen   diu aller grœzésten leit.

Am nächsten Morgen sah man zweiunddreißig Ritter mit geschlossenen Helmen zur Burg reiten. Die Wappen auf ihren Schilden waren unkenntlich von Staub. König Gunther empfing sie sofort. Da verbreitete sich in Worms das Gerücht, König Liudeger und König Liudegast hätten den Frieden aufgesagt und wollten Burgund mit Krieg überziehen. Dies Gerücht drang auch zu Siegfried, der wie immer auf dem Turnierfeld ritt. Da bat der Held König Gunther, ihn zu empfangen, und sprach: »Warum habt Ihr nicht sofort nach mir gesandt, König Gunther? Vertraut ihr mir etwa nicht mehr? Das würde mich aufs Tiefste kränken! Mit Freuden stehe ich Euch bei. Ich habe diese Könige ja schon einmal gezüchtigt, lasst es mich nun zum zweiten Mal tun! Ich will sie lehren, ihr Wort zu brechen und frech nach Eurem Besitz zu greifen! Ich will ihre Burgen zerhaun und ihre Lande verwüsten, dass kein Stein auf dem andern bleibt und kein Halm mehr grünt! Das gelobe ich Euch!«

»Wie schön ist es«, sprach König Gunther, »solch einen edlen Freund bei sich zu wissen!« Und er verneigte sich tief vor Siegfried, da er dies sprach. Dann hieß er alle Vorkehrungen zum Feldzug treffen; ein stattlicher Tross wurde gerüstet und Siegfrieds Mannen schnallten Helme und Harnische auf die Saumtiere. König Siegmund wollte mit seinem Sohn ziehen, allein Siegfried bat ihn zu bleiben. »Wenn Gott es gibt, kehren wir bald zurück«, sagte der Held, »lebt derweilen unbesorgt bei unseren Freunden!« Da flatterten die Fahnentücher von den Schäften, und wieder weinten viele Mädchen und Frauen, denn sie wussten ja nicht, dass alles nur List war.

Hagen ließ sich bei Kriemhild melden. Ihr Gatte hatte die Schöne so gezüchtigt, dass sie noch nicht gehen konnte, und so empfing sie den Besucher in ihrer Kemenate auf dem Ruhebett. Insgeheim lachte Hagen, da er Kriemhild so sah. »Ich komme, mich vor dem Kampf von Euch zu verabschieden, vieledle Frau«, sagte Hagen, wie es die Sitte gebot.

Vom Hof her scholl der Lärm des Aufbruchs.

»Ich bin überglücklich«, sagte Kriemhild, »einen Gatten gewonnen zu haben, der meiner Sippe so hilfreich beisteht, wie Herr Siegfried dies tut. Solch Wissen macht mich froh und stolz. Vergesst aber auch Ihr nicht, teurer Freund Hagen«, fuhr die Königin fort, »wie treu und tief ich Euch immer verbunden war! Möge Eure Sorge darum meinem lieben Gemahl zugute kommen, und dies umso mehr, da er mich für meine Rede, die Frau Brünhild so kränkte, bitter hat büßen lassen. Er hat mich furchtbar dafür geschlagen, der kühne und tapfere Held!«

»Sprecht nicht mehr davon, vieledle Herrin«, entgegnete da Hagen, »das ist ja alles längst vergessen, und jetzt, da die Fehde angesagt ist, müssen wir alle zusammenstehen! Ich bin eigens gekommen, Euch dies zu sagen und Euch zu fragen, ob Ihr irgendeinen Dienst wisst, den ich Eurem lieben Gemahl leisten könnte! Ich erwiese ihn keinem lieber als gerade ihm und ließe mir diese Pflicht auch von niemandem nehmen!«

Da sagte Kriemhild: »Ich bange um Siegfrieds Leben, Freund Hagen. In der Schlacht mag ein Panzer aus Horn ihn schützen, wenn er sich nicht mehr als ein andrer hervortut. Allein er ist tollkühn und liebt das Abenteuer zu sehr!«

Da nickte Hagen.

»Er vergisst sich dann und weiß nicht, was er tut«, sagte Kriemhild.

Hagen schwieg.

Kriemhild wartete.

»Herrin«, sagte Hagen, »wenn er an irgendeiner Stelle verletzbar ist, so sagt es mir. Ich könnte dann mein Augenmerk darauf richten!« – »Wir sind Verwandte«, entgegnete daraufhin Kriemhild, »du bist mit mir verbunden, und ich bin es mit dir. Wer sollte uns die Treue halten, wenn wir nicht einander selbst! Ich lege das Leben Siegfrieds in deine Hände. Wisse: Als er im Drachenblut badete und das Blut ihn hörnte, fiel ihm ein Lindenblatt zwischen die Schultern. Dort ist Siegfried tötbar! Darum habe ich Sorge, dass eine Klinge einmal genau dorthin trifft, wenn die Speere fliegen! Es war ein breites Blatt und eine Klinge könnte von dort aus das Herz finden!« Und sie sagte: »Ich habe dir das in tiefstem Vertrauen erzählt und ich hoffe, dass du dich allezeit treu erweisest!«

»Ihr müsst mir die Stelle genau kennzeichnen, Herrin«, sprach Hagen, »wenn Ihr wollt, dass ich meine Augen nicht von ihr wende!«

»Das will ich also nun tun«, sprach Kriemhild, »ich werde mit feinster Seide ein Kreuz auf seinen Waffenrock sticken, dann könnt Ihr immer bereit sein, Euch Siegfrieds anzunehmen, wenn ihn die Feinde im Handgemenge umdrängen!«

»Das tue ich gern, liebste Herrin!«, sprach Hagen. »Das gelobe ich Euch!«

So wurde Siegfried verraten.

So kann den Tod bringen, was zur Rettung bestimmt ist.

So kann der Hass einen Menschen führen.

So ruchlose Ränke spann die alte Zeit.

Am anderen Morgen ritt Siegfried mit seinen tausend Nibelungen hochgemut ins Feld. Dicht hinter ihm ritt Hagen von Tronje. Eine Weile schaute er auf den Waffenrock von Kriemhilds Mann, als wolle er schätzen, aus welcher Seide er gewebt sei. Dann verhielt er sein Pferd. Als Siegfried außer Sicht war, sandte Hagen heimlich einen Boten aus.

Kurze Zeit später sprengten plötzlich zwei Ritter mit geschlossenem Helm zur Burg. Man konnte ihr Gesicht nicht sehen, weil der Stahl es deckte, und ihr Wappen war unkenntlich von Staub. Sie verlangten, vor König Gunther geführt zu werden, und wurden sofort von ihm empfangen. Da verbreitete sich in Worms das Gerücht, die Könige Liudeger und Liudegast hätten vernommen, dass Siegfried mit in den Krieg ziehe und hätten daraufhin sofort die Fehde abgeschworen. Da läuteten auch schon die Glocken und viele Mienen wurden wieder licht und viele Augen hell und trocken. Siegfried aber sagte unwillig: »Nun ist alle meine Freude dahin! Ich hätte die Frechen zu gerne gezüchtigt! Es wäre eine ruhmreiche Fahrt geworden! Nein, sie sollen es nicht so leicht haben, die übermütigen Könige! Ich will dennoch reiten und ihnen das Fell gerben!«

Nur mit Mühe konnte man ihn bewegen, zurückzukehren. Im Burghof empfing König Gunther die Kriegsschar. Er schritt Siegfried entgegen und sprach mit bewegter Stimme: »Ich danke Euch für Eure Treue, vieledler Herr Siegfried! Kein andrer steht meinem Herzen näher als Ihr!« – »Es ist nur schade«, entgegnete der Held und lachte, »dass unser Abenteuer endete, ehe es noch begann! Ich hatte mich auf den Kampf gefreut!« Da sagte der König: »Lasst mich uns alle durch eine Jagd entschädigen! Wir wollen wieder einmal in den Vogesenwald reiten und dort unter den Bären und Schweinen aufräumen, konnten wir's schon unterm Feind nicht tun! Wer mithalten will, ist herzlich eingeladen; wer aber lieber daheim bei den Frauen sein möchte, kann natürlich bleiben! Er wird im Kreis der Schönen Kurzweil genug finden. Tue jeder, was ihm beliebt!«

»Mir fällt die Wahl nicht schwer«, sagte da Siegfried, »ich reite selbstverständlich mit Euch. Ein Jäger und ein paar Spürhunde werden für mich ja wohl aufzutreiben sein!«

Da sagte König Gunther: »Braucht Ihr nur einen einzigen Jäger, Siegfried? Ich gebe euch gerne deren vier, wenn es nötig ist! Sie kennen den Wald, jeden Weg und Steg und alle Stellen, wo das Wild zur Tränke wechselt. Sie werden Euch sicher richtig führen!«

Da eilte Siegfried zu seinem Weib Kriemhild, sich Abschied für die Jagd zu erbitten. Indes standen König Gunther und Hagen beieinander. Hagen redete und König Gunther hörte ihm zu. Über Worms schallten noch immer die Glocken, und Frauen lachten, und Jagdhörner bliesen.

Wie Siegfried erschlagen wurde

Gunther und Hagene   die réckén vil balt
lóbten mit úntriuwen   ein pirsen in den walt.
mit ir scharpfen gêren   si wolden jagen swîn
bern unde wisende: waz möhte küenérs gesîn?

Als Siegfried Kriemhild verlassen wollte, begann sie plötzlich zu weinen, wie es Sitte bei feierlichem Abschied war.

»Leb wohl und weine nicht!«, sprach Siegfried und küsste die Schöne. »Gott lasse mich dich gesund und heil wieder finden! In ein paar Tagen kehre ich zurück, vergnüge dich solange gut!«

Kriemhild hatte nicht gedacht, Siegfried noch einmal zu sehen. Nun kam ihr wieder in den Sinn, was sie mit Hagen gesprochen, jedes Wort und jeder Blick, und es zerbrach ihr Herz. Sie schrie: »Ach wäre ich doch nie geboren! Ach wäre doch mein Leben dahin!« Sie wollte Siegfried jetzt alles sagen, aber sie wagte es nicht. Sie dachte: Er kann es mir nicht glauben. Sie dachte: Wie könnte ich es sagen! Da flehte sie: »Liebster, geh heute nicht zur Jagd! Ich bitte dich bei unsrer Liebe! So viele Ritter bleiben ja daheim, sogar meine Brüder Gernot und Giselher bleiben daheim, so bleibe du auch! Ich habe im Traum zwei wilde Eber gesehen, die jagten dich über die Heide, da wurden die Blumen rot! Bleib bei mir, in tiefster Herzensnot fleh ich dich an!«

Da lachte Siegfried.

»Ich fürchte Böses«, sagte Kriemhild, »es gibt hier vielleicht jemand, den wir beleidigt haben und der unser Feind ist und seine Ränke spinnt und uns mit seinem Hass verfolgt – bleib daheim, Liebster, höre nur dieses eine Mal auf mich!«

Da lachte Siegfried und sagte: »Was redest du nur! In wenigen Tagen bin ich heil wieder hier! Ich habe keinen Feind! Hier ist mir jedermann wohlgesinnt! Ich habe ja jedem die Treue gehalten, wie sollte man mich da hassen?«

»Ach nein, Siegfried, mein Herr und mein Herz, ich fürchte um dein Leben! Mir hat geträumt, zwei Berge stürzten über dir zusammen und begruben dich – bleib bei mir, Liebster, du tust mir sonst weh!«

Da lachte Siegfried und schloss seine edle Frau in die Arme und tröstete sie mit vielen Küssen und tröstete sie doch nicht. Dann schied er von ihr. Er hat sie nie mehr wieder gesehen.

Vor der Burg sammelte sich die Jagdgesellschaft. Gernot und Giselher waren nicht unter ihnen. Siegfried wurde von allen mit großer Freundlichkeit begrüßt und König Gunther hieß ihn herzlich willkommen. Die Frauen in den Fenstern winkten. Fröhlich ritten die Helden zum Rhein. Ihnen voraus waren Karren mit Brot und Fleisch und Fisch und Wein gefahren und allem, was zu einer weidgerechten Jagd gehört. Auch die Pirschgewänder waren vorausgefahren worden. Auf einem breiten trockenen Hochland über den Sümpfen sollte Jagdgrund und Lagerplatz sein.

Hagen sagte: »Wenn es euch recht ist, vielliebe Herren, so wollen wir uns trennen und es soll jeder für sich jagen. Wir wollen doch einmal sehen, wer sich als bester Jäger erweist. Den wollen wir dann gebührend feiern!«

Da begann man Leute und Meute zu teilen. »Ich brauche nur einen guten Bracken[23]«, sagte der Mann Kriemhilds, »der wirklich spurtreu ist und hart am Wild bleibt, dann wird die Jagd schon in Gang

---

23 Spürhund

kommen!« Da brachten ihn ein alter Weidmann und ein tüchtiger Spürhund ans Wild. Und nun zeigte Siegfried seine Kunst!

Seinem Auge entging nichts, seinem Renner entrann nichts, seinen Waffen entkam nichts. Bald hatte er einen starken Jungeber erlegt, die erste Beute des Tags überhaupt. Dann streckte er mit einem einzigen Bogenschuss einen gräulichen Löwen nieder; dann schoss er einen Elch und einen Wisent, dann vier starke Auerochsen, dann eines der grimmigen Tiere, die man Schelche nannte, und die heute keiner mehr kennt, dann fing er den mächtigsten Keiler, den je ein Menschenauge erblickte, mit dem Schwert ab. Das war das Werk von noch nicht einer Stunde, das Kriemhilds Mann da vollbrachte. Da kettete sein Jagdgenosse den Spürhund an und sagte: »Dies ist, damit Ihr auch uns für später noch etwas Beute lasst, Herr Siegfried! Ihr leeret ja heute Busch und Tal!« Dieser Scherz gefiel dem Helden sehr und er musste darüber von Herzen lachen. Dann hetzte er weiter durch den Tann und kein Wild entlief ihm. Überall war Lärm und Getöse von Hunden und Treibern; Wald und Fels hallten davon wider und die Luft dampfte von Blut. Vierundzwanzig Koppeln[24] durchstürmten das Dickicht, und die Kessel platzten und die Spieße brachen fast von der Fülle des edelsten Wildbrets, und auf dem Lagerplatz stapelten sich die blutigen Häute. Es war eine lustvolle Jagd, und jeder der Herren hoffte den Sieg davonzutragen, und doch waren all diese Strecken ein Nichts, als später dann Siegfried erschien. Schließlich befahl König Gunther, zur Mahlzeit zu blasen, und das Signal dafür, ein langer Hornton, durchschallte den Wald, und die Hörner der Jäger antworteten mit kurzen Rufen. Auch Siegfried ritt zum Werder und seine Jagdgenossen folgten ihm.

Sie waren dem Rastplatz schon so weit genaht, dass sie die Feuer prasseln und die Braten an den Spießen zischen hörten, da sprang, von den Pferden aufgeschreckt, ein mächtiger Bär aus dem Unterholz. Die Treiber wollten ihn speeren, allein Siegfried rief voll Übermut: »Tut die Waffen weg, ich bitt euch, und bindet den Hund los, den fang ich lebendig! Das gibt einen Heidenspaß!«

---

24 durch Riemen verbundene Tiere; hier vermutlich: die Spürhunde

Der Bär lief in eine Schlucht und kletterte an den Wänden hinunter. Kein Ross konnte ihm dahin folgen und das kluge Tier glaubte sich schon gerettet. Allein Siegfried sprang ab und stieg dem Bären nach und rang mit ihm. Das Untier biss und hieb mit den Pranken, doch nicht Kralle noch Zahn ritzten Siegfrieds Haut. Lachend überwand der Held seinen Gegner und band ihn gefesselt am Sattel fest. So ritt er zum Lager hinüber.

Wie herrlich war er anzuschauen! Sein Speer war groß, stark und breit, und sein ziervolles Schwert Balmung reichte ihm bis zu den Sporen. Es stak in einer Scheide aus Rubin und trug am Knauf einen grünen Jaspis. Es war so scharf, dass es jeden Helm durchschlug. Sein Jagdhorn war aus rotem Gold und auch der Schild war aus rotem Gold und mit Edelgestein rings ausgelegt. Und wie prächtig war das Pirschgewand, das Kriemhild ihm gerichtet hatte!

Das Jägerwams war aus schwarzem Samt; der Hut war aus Zobel, und der Mantel war aus Otternhaut und vom Kragen bis zum Saum mit Rauchwerk und Gold durchstreut. Der Köcher war mit den buntesten Borten besetzt und mit Pantherfell überzogen, des süßen Geruchs wegen, der alle Tiere verführt. Die Pfeile hatten goldene Zwingen und ihr Blatt war handbreit. Ihre Schärfe schnitt Stein. Wen sie trafen, der war dem Tode verfallen.

Der hellste Glanz des Helden jedoch war sein hoher Sinn.

So ritt er denn lustig dahin, und seine Waffen blitzten, und von seinem Sattel fauchte der Bär. Da König Gunthers Mannen ihn erblickten, liefen sie ihm entgegen, sein Ross zu halten; die anderen Herren hatten sich schon im Kreis gelagert. Da ließ Siegfried den Bären los. Der lief zum Wald und dazu musste er durch die Küche.

Hei, war das ein Spaß! Das Untier raste durchs Lager; die angeleinten Hunde bellten wie toll und tobten und die Köche und Küchenjungen hetzten keuchend und schreiend ins bergende Holz. Wie da die Kessel umstürzten und die Brände zerstoben und die Braten sich in der Asche wälzten! König Gunther befahl erschrocken die Meute loszukoppeln und nun wurde das Getümmel un-

beschreiblich: Alles lief und rannte und quirlte durcheinander; die Jäger hatten die Bogen gespannt, doch wagte keiner in das Gedränge und Gemenge zu schießen; die Hunde kläfften; der Bär brüllte; die Jäger schrien; die Treiber kreischten; die Köche quiekten und die Berge warfen all diesen Lärm vereinigt als Echo zurück. Es war ein herrlicher Spaß und genau nach des Helden Herz. Schließlich entlief der Bär und keiner vermochte ihn einzuholen; Siegfried aber lief ihm nach und holte ihn ein und streckte ihn mit dem Schwert nieder. Da priesen alle seine große Kraft und seine Schnelle und seinen Witz. Dann begab man sich endlich zum Mahl. Der Platz war vortrefflich gewählt, die Speisen waren köstlich, die Bedienung voll Aufmerksamkeit, allein es wurde weder Wein noch Met, noch sonst eine Labe gereicht. Da rief Siegfried ungehalten: »Wo bleiben denn die Schenke! Meine Kehle ist ausgedörrt! Hätte ich gewusst, dass ich so vernachlässigt würde, so wäre ich zu Hause geblieben!« – »Es ist wirklich ärgerlich«, sagte da auch König Gunther, »dass es derart an Getränken mangelt. Herr Hagen soll uns das erklären, er ist ja unser Jagdmarschall! Ich glaube, er will uns verdursten lassen!« – »Ich bin untröstlich«, erwiderte Hagen, »die Schuld ist mein, ich kann das nicht leugnen! Ich dachte, die Jagd gehe in den Spessart, und da habe ich den Wein dorthin geschickt! Das soll mir nie mehr unterlaufen, allein für diesmal ist nichts mehr zu ändern!«
»Ich habe Durst für sieben Fuder Wein!«, sagte Siegfried aufgebracht. »Warum habt Ihr die Jagd dann nicht näher zum Rhein gelegt? Dann hätten wir wenigstens genug Wasser!« – »Mit Wasser kann ich auch hier dienen!«, rief Hagen schnell. »Ich weiß in der Nähe eine eiskalte Quelle. Nehmt vorlieb damit und zürnt mir nicht länger!« Da murrte Siegfried noch eine Weile, doch schließlich kam er auf Hagens Vorschlag zurück. Der Durst quälte ihn unsagbar. »Wo ist die Quelle?«, fragte er. Da erwiderte Hagen: »Eine Meile von hier diese Lichtung hinauf, bis zu der breitesten Linde am Fuß der Berge! Für einen Schnellfuß wie Euch ein Augenblick!« Siegfried sprang auf und da erhob sich auch König Gunther und mit ihm die anderen Herren. »Wirklich, man rühmt

75

Eure Schnelligkeit allerorten«, fuhr Hagen fort, »wollt Ihr uns nicht davon ein Probe geben?«

»Wir können ja um die Wette laufen«, erwiderte Siegfried. Da erklärten sich Hagen und König Gunther zum Wettlauf bereit. All dies lag in Hagens Plan. Er hoffte, dass Siegfried sich seiner Waffen begeben werde. Allein Siegfried sagte: »Damit es ehrlich zugeht, will ich Euch einen Vorteil geben, es macht ja sonst auch keinen Spaß! Ich will mich zu Euren Füßen ins Gras legen und erst aufspringen, wenn ihr schon lauft. Und ich will auch in meiner ganzen Jagdausrüstung laufen, mit Wams und Mantel und Schild und Speer und Schwert und Köcher!« Da sah Hagen seinen Plan dahin, allein er konnte nicht widersprechen. König Gunther jedoch war ob dieser Rede froh.

Die Helden machten sich also zum Wettkampf bereit: Siegfried rüstete sich, als ob es wieder gegen Löwen ginge; König Gunther und Hagen hingegen legten alle Kleidung bis auf die Hemden ab. Ein Hornstoß gab das Zeichen. König Gunther und Hagen liefen wie Panther durch den Klee und das Gras. Dennoch stand Siegfried vor ihnen an der Quelle. Der Grund war lehmig, darum legte er den Schild hin, dass sich der König nicht schmutzig mache. Seine Waffen aber hatte er an die Linde gelehnt. So wartete er. Der Durst quälte ihn arg, doch er wartete, wie es die Zucht befahl, bis der König getrunken habe. Die Zeit dahin schien ihm ewiglich.

Das Wasser sprudelte klar und kalt. Endlich erschien König Gunther und hinter ihm Hagen. Der König legte sich über die Quelle und trank. Nach ihm trank Siegfried. Da räumte Hagen des Helden Köcher und Bogen und Schwert in die Büsche, den Speer aber stieß er ihm durch das Zeichen zwischen den Schultern ins Herz. Da spritzte Siegfrieds Blut auf Hagens Gewand.

Siegfried sprang auf. Hagen lief um sein Leben. Siegfried suchte Bogen und Balmung, doch er fand keines von beiden, da packte er den Schild, der ihm vor den Füßen lag. Mit dem Speer im Herzen lief er Hagen nach und holte ihn ein und schlug mit dem Schild zu. Da sprangen die Steine aus dem Gold und lagen im Gras und glänzten gleich tausend Regenbogen. Hagen brach ins

Knie. Siegfried wollte noch einmal schlagen, doch da war sein Gesicht schon weiß, und er stürzte in die Blumen, und aus seiner Wunde schoss unaufhaltsam das Blut. Da schrie er: »So lohnt Ihr meine Dienste! Ich war Euch treu! Ihr habt mich dafür erschlagen! Ihr habt Euren Namen geschändet für alle Zeiten! Ihr seid mit Schimpf gestoßen aus der Ritterschaft!«

Da liefen die Herren von allen Seiten her zusammen, und wer von ihnen auf Ehre und Treue hielt, der klagte laut und verfluchte diesen Tag. Auch der König von Burgund bejammerte den Tod des Helden. Da schlug Siegfried noch einmal die Augen auf und öffnete die Lippen und sagte: »Beweint doch nicht, was Ihr selbst getan habt!« Da sagte Hagen: »Ich weiß auch nicht, ihr Herren, warum ihr da jammert. Ich habe euch von einer Macht befreit, die uns nur Sorgen bereitet hat! Ihr solltet aufatmen und mir danken!« Da sagte Siegfried: »Prahlt nur nicht so! Wäre ich nicht so arglos gewesen, hätte ich mein Leben wohl bewahrt! Nun sorge ich mich um Kriemhild. König Gunther, wenn Ihr noch einen Funken Ehre und Treue im Leib habt, nehmt Euch meiner Liebsten an! Sie ist Eure Schwester! O mein Gott, nie habe ich mehr Leid um Liebe erlitten!«

Da er mit dem Tode rang, wurden alle Blumen von seinem Blut rot. Dann verstummte er. Da legten ihn die Herren auf seinen goldenen Schild. Dann berieten sie, wie man den Mord verhehlen könne. Da sagte irgendjemand: »Es waren Räuber, die ihn umgebracht haben! Wir haben es nicht gesehen!«

Da sagte Hagen von Tronje: »Ich werde ihn nach Worms schaffen. Ob Kriemhild die Wahrheit erfährt, soll mich nicht kümmern. Sie hat gewagt, meine Herrin zu kränken. Was schert es mich, ob sie sich nun selbst kränkt! Ich habe nur meine Pflicht getan!«

Wie Siegfried beklagt und begraben wurde

Do erbiten sie der nahte   und fuoren über Rîn
von helden kunde nimmer   wirs gejaget sîn.
ein tier daz si sluogen,   daz weinten edliu kint.
jâ muosen sîn engelten   vil guote wîgande sint.

Die Edlen von Burgund warteten, bis die Nacht gekommen war,
dann fuhren sie über den Rhein und trugen Siegfrieds Leichnam
vor Kriemhilds Kemenate. Das war Hagens Rat.
Als das Münster zur Frühmette läutete, erwachte Kriemhild. Sie
versäumte selten den Gottesdienst und so weckte sie auch diesmal ihre Mägde und rief nach Kleidung und Kerzen. Ein Kämmerer ging an der Tür vorüber und stieß auf Siegfried, doch er
erkannte ihn nicht, denn der Tod hatte ihn entstellt. Da trat er zu
Kriemhild ins Gemach und sagte: »Wartet noch mit dem Kirchgang, vieledle Herrin, es muss ein Unfall geschehen sein, denn
vor Eurer Tür liegt ein toter Ritter!« Da brüllte Kriemhild: »Es
ist Siegfried! Das hat Brünhild geraten und Hagen getan!« Dann
trat ihr vor Herzeleid Blut auf die Lippen und sie fiel in Ohnmacht. Als sie erwachte, sagte der Kämmerer: »Herrin, wie käme
Siegfried wohl von der Jagd hierher? Es muss ein Fremder sein;
es wird sich alles aufklären.« Aber Kriemhild schüttelte den Kopf
und trat vor die Schwelle. Da lag Siegfried. Sein Gesicht war ganz
bleich, doch sie erkannte ihn sofort.
»Weh mir«, rief da die freudelose Schöne, »du fielst von Mörder-
hand! Dein Schild ist unzerhaun von Schwertern! Wüsste ich, wer
dir das angetan, er müsste auf der Stelle sterben!«
Kriemhild sandte den Kämmerer aus, dem greisen König Siegmund und Siegfrieds Mannen den furchtbaren Fund zu melden.
»Sie sollen kommen und mir klagen helfen«, sagte sie. Da eilte der
Kämmerer, doch weder Siegmund noch die Nibelungen konnten
glauben, dass der seiner Sinne mächtig sei, der solch wahnwitzige
Kunde bringe. Sie mochten aber auch nicht glauben, dass einer
derart mit ihnen spotte. Schließlich liefen sie alle zum Frauen-

trakt hinüber. Sie waren nur notdürftig bekleidet und hielten das blanke Schwert in der Hand, und noch da sie den Gang hinuntereilten und das Jammern von Kriemhilds Frauen hörten, überdeckte hoffender Unglaube das ahnende Weh, und sie zögerten auch, sich den Frauen so unschicklich bekleidet zu nahen. Als sie aber Siegfrieds Leichnam erblickten, trat jeder andre Gedanke hinter Leid und Rachedurst zurück. Sie schrien auf und umringten den teuren Toten, und nun schallten die Mauern der Burg von Jammer, und die Straßen in Worms schallten von Jammer, und die Bürger erschraken. Sie sagten: »Es ist Böses geschehen! Wir haben es kommen sehen! Wehe uns allen!«

Als König Siegmund sich etwas gefasst hatte, fragte er Kriemhild, ob sie einen Verdacht habe, wer der Mörder sei. »Oh, wenn ich das wüsste«, erwiderte die Schmerzensreiche, »es gäbe keine Gnade für ihn in meinem Herzen! Ich kann nichts anderes denken als Rache! Ich will seine Sippe für immer weinen machen!« Da sagten die Nibelungen: »Der Mörder muss hier in der Burg sein, Herrin! Wer sonst hätte die Leiche Siegfrieds unbemerkt hierher schaffen können!« Diese Worte erschreckten Kriemhild.

Nun wurde die Totenfeier bereitet, wie es für Könige Brauch war. Jammernde Mädchen entkleideten Siegfrieds Leichnam und wuschen seine Wunden und säuberten sein Gesicht, und sie hätten dazu kein Wasser gebraucht, ihre Tränen hätten genügt. Dann hüllten sie Siegfrieds Leib in weißesten Saben und betteten ihn aufs Totenlager. Die Nibelungen und die niederländischen Herren aber hatten den Panzer angelegt und Schild und Speer zum Schwert genommen und umgaben den Toten. Sie schworen Rache. Sie sagten: »Der Mörder kann nur unter denen sein, die zur Jagd auszogen und das waren König Gunther und seine Herren! Die lasst uns angreifen, dann schlagen wir auch den Mörder tot!« Da ritten die Herren von Burgund heran, an ihrer Spitze Gunther und Hagen. Da befahl Siegmund seinen Streitern, sich zum Kampf zu stellen. Da sagte Kriemhild: »Lasst ab von den Waffen, viellieber Vater! Ihr kennt die Macht meines Bruders nicht! Ihm steht ein gewaltiges Heer zu Gebote, das würde euch alle niedermetzeln!«

Die Nibelungen aber hatten die Helmriemen schon festgebunden und wollten den Kampf.

Da flehte Kriemhild: »Lasst ab, ich beschwöre euch, ihr rüstet zu einem sinnlosen Sterben! Für die Rache kommt eine bessere Stunde! Lasst mich erst den Mörder finden und Beweise gegen ihn haben, dann will ich ihm eine Rache bereiten, die diese Welt noch nicht gesehen hat! Jetzt wäre ein Kampf töricht! Es gibt ja hier am Rhein so viele maßlose Haufen, es kämen ihrer dreißig auf einen, das könnte nie gut ausgehn! Gott möge sie strafen! Bleibt bei mir und helft mir mein Herzeleid tragen! Bei Tagesanbruch muss Siegfried eingesargt werden. Steht mir bei, ich bitte euch!«

Da fügte sich König Siegmund widerwillig. Die Nibelungen murrten, aber Siegmund sagte: »Es ist der Herrin Wille!« Da steckten sie schließlich doch das Schwert in die Scheide.

Das Jammern der Stadt war unbeschreiblich. Niemand konnte sagen, was Siegfried verschuldet hatte. Das Volk lief zur Burg hinauf, den guten Ritter noch einmal zu sehen. Es weinte um Siegfried, und es weinten alle, die Edlen wie die Geringen, und die Geringen vielleicht noch mehr. So kam der Tag.

In der Nacht noch begannen Schmiede den Sarg zu machen. Er war aus Gold und Silber und ringsum mit Spangen von Stahl beschlagen. Im Frühdunkel trug man Siegfried ins Münster. Die Glocken klagten. Da strömte das Volk im Münster zusammen, und es erschienen alle Ritter und alle Frauen, und auch der Hof von Burgund, und auch König Gunther und auch Hagen.

König Gunther trat zu Kriemhild und sprach: »Vielliebe Schwester, wie sehr leide ich mit dir! Wer hätte ein solches Unheil ahnen können!« Da sagte die Jammervolle: »Ihr braucht mir nicht Beileid zu wünschen; spart diese Worte. Hättet Ihr es nicht geduldet, wäre es nie geschehen. Ihr habt über Euren Plänen vergessen, dass ich auf der Welt bin!«

Da sagte König Gunther: »Ich begreife nicht, vielliebe Schwester, was du da redest!« Da sagte Kriemhild: »Hättet Ihr mich doch auch umgebracht!« Da sagte König Gunther wieder: »Ich weiß nicht, was du redest, vielliebe Schwester. Wir haben nichts mit diesem Mord zu tun!«

Da sagte Kriemhild: »Wer frei von Schuld ist, der soll an die Bahre treten! Da wird die Wahrheit sich im Wunder zeigen!«

Da zog der Hof zur Bahre. An der Spitze gingen König Gunther und Hagen. Da brach die Wunde auf und aus dem Leichnam floss Blut. Da verbarg, wer es sah, seine Augen in den Händen. Da rief König Gunther: »Ich will sagen, was wahr ist: Räuber haben Siegfried erschlagen! Hagen hat es nicht getan!« Da floss das Blut stärker. Da sagte Kriemhild: »Die Räuber sind mir bekannt! Gott gebe mir Rache! Die Räuber heißen Gunther und Hagen!«

Da griffen die Nibelungen wieder nach ihren Schwertern. Allein Kriemhild verwehrte es ihnen ein neues Mal. Als dann Gernot und Giselher und die anderen Ritter an Siegfried vorübergingen, schloss sich die Wunde. Dann begann in den Jammer das Totenamt.

Nach der Messe sprachen Gernot und Giselher zu Kriemhild: »Nun tröste dich, Schwester, und finde dich ab mit deinem Geschick, das niemand mehr ändern kann! Solange wir leben, wollen wir dir Freude bereiten!« Allein es konnte sie keiner trösten.

Zum Mittag wurde Siegfried eingesargt. Sein Leib wurde in Seide gebettet, dann senkte man ihn in das Silber und Gold. Dann sprach Kriemhild zu ihren Kämmerern: »Verteilt alle Schätze Siegfrieds an die Gutgesinnten! Nehmt auch all meine Pachteinkünfte und gebt sie aus! Wer uns zum Begräbnis folgt, der soll reich beschenkt sein!« Da drängten sich die Freunde Siegfrieds zum Münster und die Geistlichen lasen mehr als hundert Seelenmessen an diesem Tag. Sie wurden darüber reich und auch die Klöster erhielten Gaben im Übermaß. Die Kämmerer teilten dreißigtausend Mark aus. Hinter dem Gold aber ging Kriemhild und sprach: »Lasst mich in meinem Schmerz nicht allein, edle Helden! Drei Tage und Nächte lang will ich Totenwache halten und meinen Liebsten ansehn, dass ich ihn nie mehr vergesse, und ich will auch nicht essen und nicht trinken und nicht schlafen in dieser Zeit! Vielleicht erbarmt sich Gott meiner und nimmt mich zu sich!«

So wachte sie drei Tage und drei Nächte. Am dritten Tag wurde sie ohnmächtig und man musste sie mit Wasser übergießen, um sie ins Leben zurückzurufen. Als sie erwacht war, sprach sie: »Brecht noch einmal den Sarg auf, vielliebe Freunde, ich muss meinen Liebsten noch einmal von Angesicht sehen!« Sie bat so flehentlich, dass man den Sarg aufbrach, sonst wäre ihr Herz gesprungen. Da beugte sich Kriemhild über den Toten, der schneeweiß im schneeweißen Linnen lag. Sie küsste ihm die Augen, die Wangen und den Mund. Dabei weinte sie Tränen aus Blut. Dann brach sie abermals zusammen und man musste sie wegtragen. Einen Tag und eine Nacht lag sie vor der Kammer des Todes. In gleicher Not lag auch König Siegmund und er wurde zeit seines Lebens nimmermehr frohen Sinns. Auch viele der Nibelungen hatten drei Tage und drei Nächte gefastet und waren der Ohnmacht nahe. Es war eine Trauer nach edelstem Brauch. Dann aber forderte das Leben sein Recht, und die Helden begannen wieder zu essen und zu trinken, und die Zeit ging dahin. Das ist wohl heute noch so.

Wie Siegmund wieder nach Hause reiste

Der swéher Kríemhilde   gie dâ er sie vant.
er sprach zer küneginne: »wir suln in unser lant.
wir wœn' unmáere geste   bî dem Rîne sîn.
Kríemhilt, vil liebiu vrouwe   nu vart ir zuo den landen mîn.

Als König Siegmund genesen war, ließ er sich bei Kriemhild melden und sprach zu ihr: »Wir wollen heimziehen! Hier am Rhein sind wir ungebetene Gäste! Kriemhild, vielliebe Tochter, reist mit mir nach den Niederlanden! Ihr sollt die Untat Eurer Sippe nicht büßen müssen. Es soll mit Euch gelten, wie es war: Ihr werdet Königin bleiben und Land und Krone und alle Nibelungen seien Euch wie bisher untertan! Ich tue es um Siegfrieds willen!« Kriemhild neigte zum Einverständnis ihr Haupt.

Da rüsteten Siegmunds Herren mit Macht zur Reise aus dem Land des Todfeinds und die Kammerfrauen der Schmerzensreichen packten ihre Kisten und ihren Kram. Kriemhilds Brüder aber rieten ihrer Schwester sehr, bei ihrer Mutter Ute am Rhein zu bleiben. Dagegen wehrte sich Kriemhild lange. Sie sagte: »Wie könnte ich den immer vor Augen haben, der mir armem Weibe so schwarzes Leid angetan!« Da sagte Giselher: »Du hast auch an deine Mutter zu denken! Sie braucht dich. Ich will für dich sorgen; keinem andern als mir sollst du je danken müssen!« Kriemhild aber sprach: »Ich kann nicht. Ich müsste sterben, wenn ich Hagen sähe.«

Dann sprachen Gernot und Frau Ute mit ihr. Gernot sagte: »Liebste Schwester, was willst du in den Niederlanden unter den Fremden? Du hast dort keinen einzigen Verwandten. Im Elend hält es niemand lange aus! Bleibe bei den Deinen, das wäre das Beste für dich!« Auch ihre Mutter Ute bat sie sehr. Da versprach Kriemhild zu bleiben.

Indes war Siegmund schon reisefertig, und Kriemhilds Zelter wartete schon gesattelt im Hof, und ihre Habe war längst verladen. Da sagte Kriemhild, sie wolle in Burgund bleiben. Da bat Siegmund sie ein zweites Mal: »Zieht mit mir! Ich will es Euch nicht entgelten lassen, dass Eure Sippe meinen einzigen Sohn erschlug. Ihr sollt die Krone tragen über all den Meinen! Ich tue es um Siegfrieds willen!«

Doch Kriemhild erwiderte: »Meine Sippe ist nun einmal in Burgund und ich gehöre zu ihr: Das Schicksal hat mich mit ihr verbunden. Meine Angehörigen teilen meinen Schmerz und wollen mir wohl!« Da war König Siegmund von Herzen betrübt und er schied voll Wehklagen von Kriemhild. »Erst jetzt sehe ich mein Leid bis zum Grund!«, rief er aus. Die Nibelungen weinten: »Wehe diesem Fest«, sprach König Siegmund, »nie wurde ein König mit seinen Leuten zu solch einem Unheil geladen! Burgund wird uns nie mehr erblicken!« Die Nibelungen aber sagten: »Vielleicht kommen wir wieder. Der Mörder unseres Herrn hat auch hier viele Feinde. Wir sind bereit, wenn man uns ruft!«

Dann küsste Siegmund Kriemhild zum Abschied und ritt in sein Land. Mit ihm ritten die Nibelungen. Sie hatten sich von König Gunther weder Geleit noch Schutz erbeten und sie nahmen auch von niemandem Abschied. Da suchten Gernot und Giselher König Siegmund in seinem Quartier auf und sprachen: »Gott im Himmel weiß, wir sind nicht schuld an Eures Sohnes Tod, und wir wissen auch hierzulande niemand, der ihm Feind war. Wir werden immer um Siegfried trauern!«

Der junge Giselher geleitete König Siegmund den Rhein hinunter bis zur Grenze. Dann kehrte er nach Worms zurück. Dort lebte Kriemhild noch immer in finsterer Trauer. Sie wollte von keinem Burgunder Trost. Nur Giselher durfte mit ihr reden. An seinen Worten erfreute sie sich.

Brünhild indes thronte im Übermut. Kriemhilds Trauern drang nicht an ihr Herz. Sie freute sich ihres Sieges, jedoch sie freute sich zu früh.

Wie der Nibelungenhort nach Worms gebracht wurde

Dô diu edel Kriemhilt   alsô verwitwet wart,
bî ir ime lande   der grâve Eckewart
beleip mit sînen mannen,   der diente ir zallen tagen.
der half ouch sîner vrouwen   sînen herren dicke klagen.

Da Kriemhild nicht mehr in der Burg leben wollte, erbaute man ihr und ihrem Gefolge, dem nun Markgraf Eckewart vorstand, ein stattliches Haus in der Nähe des Münsters. Freude und Lustbarkeit waren aus seinen Mauern verbannt und sein Tor öffnete sich nur zum Gang in die Kirche oder an Siegfrieds Grab. Vergeblich versuchte Frau Ute ihre Tochter aufzuheitern. Treuere Trauer hat noch nie eine Frau um ihren Mann gezeigt. So lebte die Jammervolle in Gram und Kummer mehr als vier Jahre und sie sprach in dieser Zeit weder mit Gunther noch mit Hagen ein einziges Wort.

Da redete Hagen von Tronje zum König: »Es ist hoch an der Zeit, dass der Hort nach Burgund kommt. Das wird aber nie geschehen, solange Kriemhild Euch zürnt. Ich rate Euch sehr, ihr Vertrauen zurückzugewinnen!« Da sagte Gunther: »Vielleicht können meine Brüder sie umstimmen. Giselher und Gernot sind bei ihr gern gesehen.« – »Wir können es ja versuchen«, erwiderte Hagen, »jedoch ich glaube nicht, dass dies Erfolg haben wird!«

König Gunther sandte die Herren Ortwin und Gero zu seinen Brüdern und bat sie, bei Kriemhild vorzusprechen. »Ach, allzu lange, liebe Herrin«, sprach Gernot zu Kriemhild, »allzu lange beklagt Ihr Eures Liebsten Tod! König Gunther ist darüber bitter betrübt. Er will ein Gericht berufen, um sich von diesem Verdacht zu reinigen. Eure Klagen müssen doch einmal ein Ende haben!«

Da sagte Kriemhild: »Niemand zeiht meinen Bruder des Mords. Hagen hat Siegfried erschlagen. Ich hätte nie denken gekonnt, dass er meinen Siegfried hasste, sonst hätte ich ihm das Geheimnis nie verraten! O hätte ich es nur unterlassen! Nun bleibt mir nur eines: dem Mörder nie zu verzeihen!«

Da bat Giselher seine Schwester, sie möge, wenn sie ihn des Mordes nicht verdächtigt, König Gunther empfangen und sich mit ihm aussöhnen. Dazu war Kriemhild bereit. Da ließ sich König Gunther eilends bei ihr melden, und unter vielen Tränen sprach Kriemhild, sie verzeihe allen, nur einem nicht, denn niemand außer Hagen hätte gewagt, Hand an Siegfried zu legen, auch wenn man tausendmal seinen Tod beschlossen hätte. So boten denn die Geschwister einander den Versöhnungskuss, und schon nach wenigen Tagen stimmte Kriemhild zu, dass der Nibelungenhort nach Worms gebracht werde, und zwar in ihr Haus und unter ihren Gewahrsam. Er sollte ihre Entschädigung und ihr Witwengeld sein. Mit achttausend Mann zogen Giselher und Gernot nach dem Norden und sprachen, nachdem sie dreißig Länder durchquert hatten, bei Alberich vor.

Der sagte: »Ich kann es Euch nicht wehren, den Schatz zu nehmen! Er gehört Kriemhild und sie kann ihn fordern!« Und er fügte hinzu: »Hätte ich nur die Tarnhaut, so bekämt ihr ihn nie!

So aber seht Ihr mich machtlos und ich tue nach Eurem Willen!«
Alberich befahl seinen Zwergen, den Schatz aus dem Berg zu fahren. Da fuhren zwölf schwere Lastwagen vier Tage und Nächte
lang vom Berg zum Schiff, und sie fuhren des Tags und der Nacht
je dreimal, und sie fuhren nur Gold und Edelgestein. Wenn man
die ganze Welt gekauft hätte, so wäre der Hort noch nicht um ein
Pfund gemindert worden. Hagen wusste, wonach er verlangte.
Inmitten des Horts lag auch ein goldenes Zweiglein, das beachte-
te keiner, denn es schien nur Gold unter Gold. Nicht einmal ein
Stein war daran und so schien es gering. Darum kam auch keiner darauf, es zu erproben. Es hätte aber jeden, der es gebrauchte,
zum Herren der Welt machen können, doch es konnte keiner
etwas damit anfangen. Siegfried hatte die Kraft des Zweigleins
vielleicht gekannt, aber er hatte sie nicht zu brauchen gewollt.
Da Gernot und Giselher Abschied von Alberich nahmen, zogen
viele der Nibelungen mit ihnen. Die anderen gingen mit Alberich
in den Berg zurück. Man weiß nicht, wo sie geblieben sind. Die
mit Gernot zogen, fielen später im fremden Land.
Als der Hort nach Worms kam, füllte er alle Kästen und Truhen
Kriemhilds und darüber hinaus noch alle Türme ihres Palastes
und einen Großteil seiner Gemächer, und doch hätte sie tausendmal mehr drangegeben, wäre Siegfried davon wieder heil geworden. So große Treue findet man selten.
Der Hort zog unzählige Recken an den Rhein. Kriemhild empfing
sie alle und verschenkte die Schätze mit vollen Händen. Ihr Ruhm
war fabelhaft und man pries sie in allen Landen der Christenheit
als edelste Frau. Da sagte Hagen: »Wenn wir noch lange tatenlos
zusehen, wird sie mitten in unserem Reich ein gefährliches Heer
auf die Beine bringen!« Da sagte König Gunther: »Was könnten
wir denn dagegen tun? Es ist doch ihr Eigentum; wer sollte ihr
vorschreiben, wie sie es verwendet! Ich bin froh, dass ich mit ihr
ausgesöhnt bin; ich denke nicht daran, mich in ihre Geschäfte zu
mischen!«
Da sagte Hagen: »Ein redlicher Mann vertraut keinem Weib solch
einen Schatz an! Es wird Euch gereuen, wenn Ihr stille haltet!« Da

sagte Gunther: »Sie ist meine Schwester. Ich habe geschworen, ihr nicht weh zu tun. Daran will ich mich halten!« – »So lasst mich wieder der Schuldige sein!«, erwiderte Hagen.

Da schwieg König Gunther.

Hagen sagte: »Ihr habt Eurer Schwester versprochen, ihr den Hort nicht zu nehmen. Nun gut, ich will mich daran halten. Der Hort soll ihr bleiben, ich nehme nur die Schlüssel zu ihren Truhen und Schatzkammern an mich!«

So wurden wieder hohe Eide gebrochen und sie brachen wie ein morscher Speerschaft! Die Witwe verlor die Macht über ihren Besitz. Die Kasten und Truhen blieben in ihrem Haus, allein die Schlüssel gingen an Hagen. Da sprach König Gernot: »Das ist frevelhaft! Nun ist es genug! Der Hort soll niemals in die Burg, das gelobe ich mit heiligem Eide!« Und Giselher sagte: »Liebste Schwester, wenn Hagen nicht zu unserer Sippe gehörte, ich würde ihn umbringen!« Da weinte Kriemhild bittere Tränen ob ihrer neuen Schmach. Mehr konnte sie nicht tun. Gernot aber sprach: »Wir beschwören Furchtbares herauf! Wir sollten den Hort in den Rhein werfen!«

Wenige Tage später erklärten die Könige, sie müssten dringend Worms verlassen, doch es wusste niemand, warum und wohin. Sie sagten, sie müssten ausreiten, und sie müssten auch alle drei aus Worms fort, und sie ließen Hagen als ihren Regenten in der Stadt zurück. Als die Könige fort waren, drang Hagen in Kriemhilds Haus, und niemand wagte, es ihm zu wehren. Was hundert Lasttiere nicht getragen hätten, lud er auf seine Schultern. Er trug den Hort zum Rhein und versenkte ihn dort. Das geschah bei Lochheim. Er dachte ihn unter den Wellen zunächst in Sicherheit und später zu Nutzen Burgunds. Er hatte König Gunther vor dessen Ausritt geschworen, niemandem zu verraten, wo er den Hort versenkte, und er hielt diesen Schwur bis in den Tod. Es hatte aber keiner in Burgund mehr einen Nutzen davon.

Als die drei Könige zurückkamen, klagte Kriemhild ihnen ihr neues Leid. Da sprach König Gunther entrüstet: »Davon weiß ich nichts! Ich habe damit nichts zu tun!« Giselher war empört und

wollte Hagen ans Leben. Da verbarg sich Hagen vor der Könige
Zorn. Aber nach wenigen Tagen bekam er Gnade und kehrte an
den Hof zurück.

Kriemhild aber vergrub sich in ihren Gram. Ihr war alles genommen: der Mann, der Hort, die Macht, die Freunde, und auch ihre
Krieger verliefen sich nun. Ihr blieb nur die Erinnerung und die
Hoffnung auf Rache und auch diese welkten und starben ab. So
lebte sie volle dreizehn Jahre.

Wie König Etzel nach Burgund um Kriemhild sandte

Daz was in einen zîten   dô vrou Helche erstarp,
unt daz der künic Etzel   umb ein ánder vrouwen warp.
dô rieten sîne vriunde   in der Burgonden lant
zeiner stolzen witewen,   diu was vrou Kriemhild genant.

Nun begab es sich zu dieser Zeit, dass die schöne Helche, das
Weib des Hunnenkönigs Etzel, starb und die hunnischen Edlen
ihren Herren drängten, ihnen wieder eine Gebieterin zu geben
und um die stolze Witwe Kriemhild zu freien. »Sie ist die edelste
aller Königinnen«, sprachen sie, »der starke Siegfried ist ihr Mann
gewesen und ihre drei Brüder sind Zierden der Ritterschaft. Sie
wäre eine Herrin nach unserm Sinn und allein Eurer Erhabenheit
würdig!« Da sagte König Etzel bekümmert: »Wie könnte es geschehen, dass sie mich erhörte? Sie ist eine Christin, und ich bin
ein Heide, und das Taufwasser wird nie meine Stirn berühren,
das habe ich gelobt! Wie sollten wir da zusammenliegen?« Allein
die Räte drängten ihn und sprachen: »Wer wird Eurem Namen
und Eurer Macht widerstehen? Wagt nur, um sie zu werben. Es
wäre gut, wenn sie die Hunnenkrone trüge. Wir fühlen uns ein-
sam ohne Herrin. Bedenkt auch, dass Ihr erbenlos seid!«
Schließlich willigte Etzel ein, den Versuch zu wagen und fragte
nach einem Kenner der Leute Burgunds. Da erbot sich Markgraf
Rüdiger von Pöchlarn, einer seiner ersten Vasallen, als Werber

zu Kriemhild zu reisen, denn er hatte als Knabe einst mit Hagen am Hunnenhof zu Ungarn gespielt. König Etzel versprach ihm den reichsten Lohn, wenn Kriemhild seine Werbung nicht verschmähte. »Ich will mein Bestes tun, mein gnädiger Herr und Gebieter«, erwiderte Rüdiger.

So rüstete Rüdiger zur Reise, und er rüstete sich wohl aus, denn jenseits der Donau führte sein Weg durch Bayern, und das war Europas wildestes und räuberischstes Land. Er bot fünfhundert Mann auf, ihn zu begleiten, und alle reisten in Stahl gekleidet und legten Tag und Nacht den Harnisch nicht ab. Ihre prächtigen Gewänder, mit denen sie Rüdigers Gemahlin Gotelind im Überfluss ausgestattet hatte, führten sie im Tross mit sich, und auch der ging in Eisen. So kamen sie, wenn auch nicht unangefochten, so doch heil durch Bayern und zogen nach zwölf Tagen klirrenden Rittes in Worms ein.

König Gunther stand in der Halle, als die Fremden in den Burghof sprengten. Sie hatten, ehe sie zu Hofe kamen, Quartier in der Stadt genommen, und sich umgezogen, und so leuchteten Seide und Pelz ihrer Gewänder bis hinauf in den Saal. Da fragte König Gunther neugierig, wer diese prächtigen Ritter wohl seien, allein seine Kämmerer kannten sie nicht. Schließlich wurde Hagen gerufen, der musterte die Fremden genau, dann sprach er: »Wenn mich nicht alles täuscht, ist dies Herr Rüdiger von Pöchlarn, der im Dienst König Etzels steht. Als Knaben haben wir zusammen gespielt; wir waren als Geiseln nach Ungarn gekommen, und ich denke manchmal noch der gekrümmten Schwerter über der Zottelmähre der Pferdchen, nicht größer als ein Widder oder ein Reh!« Seine Augen glänzten im Glück der Erinnerung, da er dies sagte. »Ihr müsst Euch irren, Herr Hagen«, sprach König Gunther, »wie käme wohl ein Fürst der Hunnen an unseren Hof?« Hagen hob unentschieden die Schultern, dann aber rief er. »Er ist es, es ist Rüdiger, ich erkenne ihn daran, wie er aus dem Sattel springt!« Er lief aus dem Saal seinem Jugendgefährten entgegen und umarmte ihn und zeigte ein helles Gesicht. »Willkommen in Worms, Freund Rüdiger«, rief er, »was führt Euch zu uns? Sagt

mir, was ich für Euch tun kann!« – »Ich bitte euch, meldet mich
bei König Gunther«, bat Rüdiger, »ich habe eine dringende Botschaft meines Königs an ihn.« Da führte Hagen den Freund ohne
Umschweife in die Halle.

König Gunther empfing seine Gäste mit allen Ehren; er erhob
sich und ging ihnen entgegen und fasste den Markgrafen bei der
Hand, und König Gernot schenkte den besten Wein und Met aus,
den man am Rhein nur haben kann. Auch Giselher war herbeige-
eilt und auch die Herren Gero, Dankwart und Ortwin von Metz
fanden sich ein, und auch Herr Volker von Alzay. Sie tranken und
plauderten und verstanden einander prächtig, denn sie waren
alle mit den Sitten und Züchten der Ritterschaft wohl vertraut.
Schließlich sagte König Gunther. »Nun kann ich, vieledler Herr
Rüdiger, die Frage nicht länger unterdrücken: Was führt Euch an
den Hof von Burgund? Habt Ihr eine Botschaft Eures Königs zu
überbringen? Wir wollen sie mit der Aufmerksamkeit anhören,
die dem Wort solch eines mächtigen Herrschers gebührt; doch
zuvor und vor allem anderen sagt uns, wie es Herrn Etzel und
seiner schönen Frau Helche geht!« Da meldete ihnen der Markgraf den Tod seiner Herrin, und da verstummte die Freude, und
Gunther sprach: »So möge Gott den König trösten, denn Helche
war eine höchst tugendhafte und ruhmvolle Frau. Was in unserer
Macht steht, Euren Herrn zu erfreuen, das wollen wir von Herzen gern tun!« Diesen Worten stimmten Gernot und Hagen wie
die anderen Ritter zu und Herr Rüdiger sprach: » Die Trauer um
Helche droht meinen Herrn zu Boden zu drücken und nur eine
treue Gemahlin kann ihm noch Stütze sein. Es ist sein Wunsch,
sich erneut zu vermählen; die Kunde von Frau Kriemhilds Schönheit und Edelmut hat ihn überwältigt und er bietet ihr die Herrschaft über sein Herz. Dies ist meine Botschaft an euch, vieledle
Könige, und ich bitte, dass ihr sie günstig bedenkt!« Da antwortete König Gunther: »Ich will Eure Rede meiner Schwester getreulich übermitteln, Markgraf; ich möchte nicht absagen, ohne ihren
Entscheid. Geduldet Euch noch drei Tage, ich bitte Euch sehr!«
Zu dieser Rede des Königs nickte Hagen. Markgraf Rüdiger zog

mit seinen fünfhundert als Gast in die Burg und König Gunther beriet sich mit seinem Hofe.

Die Herren hielten sämtlich dafür, die überaus hohe Ehre der Werbung anzunehmen; einzig Hagen widersetzte sich diesem Rat. »Das darf nimmer geschehen, selbst wenn Kriemhild es wollte!«, so sprach er, »sie gewinnt als Etzels Gemahlin eine furchtbare Macht, und das sollten wir ihr niemals gestatten!« – »Sie ist meine Schwester«, erwiderte König Gunther, »und es geht um ihr Glück! Ich bin es leid, sie täglich in Trauer zu sehen und von der Früh bis zur Nacht ihr Klagen zu hören! Wir sollten sie bewegen, zu Etzel zu ziehn!« Auch Gernot und Giselher sprachen so und auch alle die anderen Herren, allein Hagen blieb hart. »Es ist unerhört«, sprach da der junge Giselher, »wie grausam Ihr meiner Schwester im Weg steht! Kein Wunder, dass sie nur Hass gegen Euch empfindet! Ich mag's nicht mehr ansehn, wie der Gram sie auszehrt!« – »Ich sage nur, was ich sehe«, erwiderte Hagen, »und ich sehe das Unheil Burgunds. Bedenkt doch, dass sie zur mächtigsten Königin der Welt wird, und bedenkt, dass wir ihre Todfeinde sind!« – »Wir können ja zu ihrer Lebzeit den Hunnenhof meiden«, erwiderte Gernot, »unsere Lande sind durch breite Wälder und Flüsse voneinander geschieden, und zudem ist Herrn Etzels Friedfertigkeit wohl bekannt!« – »Als ob es darauf ankäme«, entgegnete Hagen, »es gibt nichts, was der Hass nicht überwindet! Es ist eine Frage der Macht, da sollten wir uns nicht wie Tölpel benehmen!« Da sprang Giselher von seinem Sitz: »Wir sollten uns nicht als Schufte benehmen«, so schrie er, »Ihr, Tronje, mögt tun, was Ihr wollt, ich will mich endlich zum Anstand und zu meiner Schwester bekennen!« Dieser Spruch kränkte Hagen wie keiner zuvor, doch der Rat wurde geschlossen, und er musste es dulden; er hatte alle drei Könige wider sich. »So soll denn geschehen, was geschehen muss«, sprach er; dann lachte er, und dann ging er hinaus und er sagte in dieser Sache fortan kein Wort mehr.

Nun erbot sich Herr Gero, Kriemhild die Werbung zu überbringen. Die Leidgeprüfte hörte ihn ohne Bewegung an und schüttelte schließlich stumm den Kopf. »Treibt nicht Euren Spott mit mir, ich bitte Euch«, sprach sie, »was sollte ich einem Mann noch bedeuten, der jemals mit einer Frau glücklich war?« Da redeten Gernot und Giselher mit ihr, dass sie sich wieder zu leben entschließe und Etzel erhöre, allein sie wollte es nicht tun. Schließlich sagte Gernot: »Ihr könnt den Markgrafen nicht ziehen lassen, ohne ihn empfangen zu haben, Schwester; miedet Ihr ihn, wäre es eine grobe Unbill, und ganz Burgund käme in Verruf!« Da gestattete Kriemhild, dass Rüdiger ihr die Botschaft seines Herrn überbringe. »Herr Rüdiger ist mir ob seines edlen Wesens lieb«, so sprach sie, »darum soll er mir willkommen sein! Einen anderen hätte ich nicht empfangen, aber Rüdiger möchte ich nicht kränken!« So ging der Markgraf mit elf Herren zu ihr.

Kriemhild empfing den Gesandten Etzels in Witwenkleidung; ihre Damen hatten den prächtigsten Staat angelegt, doch die Hoheit der Vielbetrübten überstrahlte noch im schwarzen Gewand das Gepränge des Hofes. An ihrer Seite standen die Herren Eckewart und Gero mit ihren Vasallen und der Hochsitz der Königin war von zweihundert Edelfrauen umkränzt. Dies war ein Empfang nach der nobelsten Sitte, allein Kriemhilds Brust war von Tränen nass.

»Meine hohe Herrin, der mächtige König Etzel sendet Euch in tiefster Ehrfurcht seinen Gruß und sein Herz«, redete Rüdiger, »er bietet Euch Liebe ohne Leid und treue Gemeinschaft fürs Leben, wie sie einst Helche genoss. Seit er Helche verlor, sind seine Tage freudlos und finster, und er fürchtet, dass sie es bleiben, höbe Eure Gunst seinen Gram nicht auf!« – »Herr Markgraf«, erwiderte Kriemhild, »wer meinen Schmerz kennt, sollte nicht wagen, um meine Liebe zu bitten! Ich habe den Besten verloren, den eine Frau verlieren kann!« – »Wer könnte das Leid bannen, wenn nicht die Liebe?«, erwiderte Rüdiger. »Und zweifaches Leid wird von zweifacher Liebe gebannt! Und seht«, so fuhr er fort, »die Liebe meines Herrn wird überaus prächtig geleitet: Zwölf Kronen bietet der Freier Euch an und die Lande von dreißig Fürsten und die Hälfte der Welt; Ihr sollt Herrscherin sein,

wie einst Helche es war, und keine Frau dieser Erde soll Euch je
an Macht übertreffen!« Da fielen ihr auch die hunnischen Edlen
zu Füßen und baten sie, ihre Herrin zu sein und ihnen täglich den
Glanz ihrer Schönheit zu schenken, und da tupfte sich Kriemhild
die Tränen von den Wangen und sprach: »O Ihr guten Herren«,
so redete sie, »wie könnte ich denn begehren, solch eines Helden
Weib zu sein; ich habe am Tode des einen ja Herzeleid genug!
Doch will ich mich bis zum Morgen bedenken, dann gebe ich
euch endgültig Bescheid!« Da verneigten sich Rüdiger und die
hunnischen Ritter und verließen, rückwärts schreitend, Kriemhilds Gemach. Die Schmerzensreiche aber bat ihre Mutter Ute
und ihren Lieblingsbruder Giselher zu sich.
»Ich habe Rüdiger angehört«, sprach Kriemhild, »und ich werde
weinen wie bisher!«
»Es ist der mächtigste König, der um dich wirbt, liebe Schwester«,
sagte Giselher, »zwischen Rhone und Elbe und Donau und Eis-
meer ist kein Reich größer als das seine. Sein Arm reicht noch in
die Wüste Turkistans und der König von Italien, Herr Dietrich,
geht als Vasall zu seiner Linken! Du solltest dich glücklich preisen,
dass er dich begehrt!«
»Mein Reich ist das Reich der Tränen und Klagen«, erwiderte
Kriemhild, »es hat seine Grenzen um Siegfrieds Grab und seine
Fürsten heißen Gram und Trauer!«
»Dann wird es Zeit, dass du es verlässest, mein Kind«, sprach Frau
Ute.
»So sollte ich denn Hof halten vor fremden Rittern?«, sprach
Kriemhild, »und mich ihnen zeigen und ihnen huldvoll sein
mit meiner verblichenen Schönheit und meinen rot geweinten
Augen und meiner kummergekrümmten Gestalt? Das kann nim-
mer sein!« Und sie dachte: Ich sollte wahrhaftig gebieten wie in
Siegfrieds Tagen und Silber verteilen und Gold und Edelgestein
und Heere um mich sammeln und eine Krone tragen über Fürs-
ten und Könige? O du mein Gott, kann das je noch geschehen? O
Gott, erhöre mein Flehen: Wie lange nur war ich nicht mehr froh!
Doch da müsste ich ja bei Etzel liegen und der ist ein Heide; wie

dürfte ich mich, eine Christin, ihm hingeben? Würde nicht alle Welt mich verachten, wenn ich ihn erhörte? O nein, nicht um alle Reiche der Welt könnte ich dies tun!

Sie sagte: »Ich kann es nicht tun, liebste Mutter, ich bin nur ein Schatten auf Siegfrieds Grab!«

Da verließen sie Ute und Giselher und Kriemhild blieb allein. Sie schlief aber nicht diese Nacht und lag in Gedanken und ihre Augen waren oft nass. Am Morgen, als die Glocken ins Münster riefen, geleiteten sie ihre Brüder zum Hochamt, und wieder rieten sie ihr, König Etzels Werbung anzunehmen, und diesmal sagte Kriemhild kein Wort. »Du musst dich entscheiden, vielliebe Schwester«, forderte Gunther, »Herr Rüdiger drängt zum Aufbruch und wir können ihn unmöglich noch hinhalten! Ob ja oder nein – er darf seinen König nicht länger ohne Antwort lassen!« Da entbot Kriemhild Herrn Rüdiger noch einmal zu sich.

Nach dem Hochamt ließ sich der Markgraf bei Kriemhild melden und sie empfing ihn mit allen Ehren und sagte, sie bleibe bei ihrem Entschluss. »O welches Unrecht, vieledle Frau, tut Ihr damit der Welt an«, sprach Rüdiger, »dass Ihr Eure Schönheit so gänzlich verloren gebt! Wie viel Glück vermöchtet Ihr noch zu schenken und wie viel Leid bringt Ihr über uns!« Schließlich bat der Markgraf sie um eine letzte Unterredung unter vier Augen. »Herrin«, so sprach er, »Herrin, ich glaube, den Grund Eurer Weigerung zu erraten. Gewiss fürchtet Ihr, am Hunnenhof allein unter Fremden zu sein. So sage ich Euch denn und gelobe: Ich und meine Mannen und meine Freunde stehen Euch immer zu Diensten; wir wollen für Euch da sein das Leben lang und werden es jeden, der Euch zu kränken wagt, bitter entgelten lassen! Ihr sollt Genugtuung haben für jedes Weh!« Da kam Glanz in Kriemhilds Augen und sie fasste Rüdigers Arm. »So wollt Ihr mir schwören«, sprach sie, »mich an jedem zu rächen, der mir Böses getan?« Das schwor Rüdiger und er schwor es ganz ohne Arg und besiegelte seinen Schwur mit Handschlag. Da dachte die Getreue: So könnte ich dich doch noch rächen, liebster Gemahl? So könnte ich arme Freudenlose noch einmal mächtig sein und über Ritter gebieten und Schwerter und Mut und könnte den strafen, der mein Feind ist? Wohlan, dann mögen die Leute mich ruhig verlästern! Allein sie sprach:»Ich bin eine Christin und Euer Herr ist ein Heide! Wie könnte es da geschehen, dass wir uns vereinen?« Da sagte Rüdiger:»Bedenket, Königin, wie viele treue Christen ihm dienen! Ihr würdet an seinem Hof keines geistlichen Zuspruchs entbehren und könntet die heilige Messe hören, sooft Ihr es wünscht. Und wenn Gott es gar fügte, dass Ihr den mächtigsten König der Welt bewegtet, sich taufen zu lassen? Welch ein Gewinn für die Christenheit! Es gibt außer Euch niemanden, der solches vermöchte!« Da sagte Kriemhild:»Bei Gott, das habe ich nicht bedacht!« Dann weinte sie und dann sprach sie:»So mag es also geschehen, dass ich arme Witwe ins fremde Heidenland ziehe; weiß ich doch einen dort, der mich beschützt!« –»Fünfhundert Ritter gehören Euch, Herrin«, rief Rüdiger aus,»und ich bin Euer Knecht! Nie sollt Ihr Rüdigers Rat zu bereuen haben!« –»So lasset uns eilen, mein Freund!«, sprach die Königin.

Sie befahl, alle Schätze, die ihr vom Hort noch geblieben waren, einzupacken und zu verladen. Hagen wollte es verhindern und Gunther es ihm untersagen, allein Rüdiger sprach:»Lasst doch das Gold im Lande, Herrin; der Reichtum meines Königs ist unermesslich; er wiegt mit der linken Hand Siegfrieds Hort auf!« Kriemhild aber wählte zwölf Kisten erlesensten Schmuck und lautersten Goldes für Reisegeschenke, dann stiftete sie tausend Mark Messgelder für das Seelenheil ihres geliebten Gemahls, und schließlich versprach sie den Rest ihrer Schätze all denen, die mit ihr ins ferne Hunnenland ziehen wollten, und das waren Markgraf Eckewart und fünfhundert Mann. Sie schworen ihr Treue für immer und Kriemhild verneigte sich vor ihnen. Dann nahm sie Abschied von der Burg.

Gernot und Giselher und mit ihnen die Herren Ortwin und Gero und Rumold und tausend Ritter geleiteten sie bis an die Donau, und ihnen voran sprengten Rüdigers Eilboten, König Etzel die frohe Botschaft zu überbringen. Frau Ute weinte. König Gunther begleitete Kriemhild bis zur Mauer der Stadt. Dort sprach er:»So lebe fortan in Glück und Frieden, liebste Schwester! Möge Gott dich segnen und behüten!« Er dachte, sie nicht mehr wieder zu sehen.

Wie Kriemhild zu den Hunnen reiste

Die boten lâzen rîten: wir suln iu tuon bekant
wie diu küneginne   füere durch diu lant,
oder wâ vón ir schieden   Gíselher und Gêrnót.
si heten ir gedienet   als in ir triuwe daz gebôt.

Bei Pföring an der Donau verabschiedeten sich Gernot und Giselher von Kriemhild. Giselher sprach: »Wenn du je Hilfe brauchst im wilden Hunnenland, liebe Schwester, so lass es mich wissen, und ich reite zu dir und stehe dir bei!« Da küsste ihn Kriemhild, und dann küsste sie auch Gernot. Dann winkte sie den burgundischen Rittern zum Abschied zu.

Durch Bayern reisten sie rasch, und als sie den Inn erblickten, atmeten sie auf, dass der gefährlichste Weg überstanden war. In Passau erwartete sie ihr Onkel, der hochberühmte Fürstbischof Pilgrim, der die Bücher und Bilder liebte und alles auf Pergament schreiben ließ, was in der Welt geschah. Er bewirtete seine Nichte aufs Freundlichste und bat sie zu bleiben, und auch die Passauer Kaufleute hätten die reichen Gäste gern länger beherbergt, und die Passauer Ritterschaft begann schon mit Kriemhilds Mädchen zu schäkern, allein Rüdiger drängte zum Aufbruch, denn jenseits des Inns begann seine Mark, und dort, an der Enns, wohin sie ihren Gästen zur Begrüßung entgegengeritten war, wartete schon Frau Gotelind. Da ließ es sich der Fürstbischof Pilgrim nicht nehmen, seine Nichte bis dorthin zu begleiten.

Am Morgen hatten sie die Traun überschritten und am Abend kamen sie ans zeltübersäte Ufer der Enns. Hier erwartete sie Frau Gotelind und mit ihr alle Ritter des Pöchlarner Landes, die schon höchst ungeduldig drängten, Siegfrieds Witwe ihre Turnierkunst zu zeigen und die, obwohl es schon dunkelte, beim Nahen des Zugs ihre Spiele begannen. Als Kriemhild vom Pferd stieg, schwirrten ihr Lanzensplitter ums Gesicht. »Wie glücklich preise ich mich«, sprach Frau Gotelind, »meine schöne Herrin willkommen zu heißen! Gesegnet sei der Tag, der mir dies vergönnt!« Die Kämpfenden jauchzten und schrien bei jedem gelungenen Stoß oder Schlag. »Gott lohne Euch Euren Gruß«, erwiderte Kriemhild, »und er beschere uns beiden nur Freude und Glück!«

Dann trank man und schmauste und saß plaudernd im Gras und begab sich schließlich in den Zelten zur Ruhe und am nächsten Tag empfing die Burg von Pöchlarn die hohen Gäste. Rüdigers Tochter Dietlind entbot ihnen den Willkommensgruß und führte sie in die Halle. Dort konnte man die Donau strömen sehen; sie war viel breiter als der Rhein, und man sah steil steigende Wiesen, die führten über noch steilere Hänge zu Bergen, die sich wieder an höhere Berge lehnten, und dahinter erhoben sich Berge mit weißen Gipfeln und die stießen in die Wolken hinein. Es war als ob sich das Land in den Himmel schiebe. Kriemhild hatte dergleichen noch nie erblickt und saß ganze Tage voll seligen Staunens. Schließlich wurde Herr Eckehart ungeduldig. »König Etzel wird uns schelten, wenn wir uns noch länger versitzen und gaffen!«, mahnte er.

So wurde Abschied genommen und Erinnerungsgaben gingen von Hand zu Hand. Kriemhild schenkte Dietlind zwölf Ringe aus rotestem Gold und ein Prachtgewand, und da es ihr weh tat, dass sie nur solche Geringfügigkeiten austeilen konnte, anstatt zu belohnen, wie ihr Herz es gebot, schloss sie das Mädchen in die Arme und küsste es. Dietlind aber sprach: »Vieledle Herrin, wenn es Euer Wunsch ist, will ich Euch gern begleiten und immer bei Euch sein und Euch erfreuen! Ich weiß mich darin mit meinem Vater einig!« Da erkannte Kriemhild Rüdigers Treue und zum ersten Mal nach so vielen Jahren lächelte sie.

Die Reise ging weiter an Melk vorbei, dort nahm Bischof Pilgrim von Kriemhild Abschied, und dann fort über Mautern nach Traismauer, der ersten Festung König Etzels, einem Lieblingssitz der

97

verstorbenen Helche. Hier wurde die Reisegesellschaft von Rittern hunnischen Stammes empfangen; es waren die ersten Heiden, die Kriemhild erblickte, und hatte sie bis dahin vor dieser Begegnung gebangt, so vertrieb ihr die herzliche Aufnahme schnell alle Scheu. Sie gewahrte erstaunt, dass die so fremdartig aussehenden Herren und Damen mit ihrem tiefschwarzen glatten Haar und den schräg stehenden Augen über den gemuldeten Wangen an Takt und Zucht dem Hof vom Rhein in nichts nachstanden, ja ihn an Zuvorkommenheit und liebenswürdig aufmerksamem Wesen in den Schatten stellten; sie war entzückt, dass viele der sie Umringenden der deutschen oder französischen Zunge mächtig waren, auch wenn sie die schwierigen Wörter mit lustigen Kehltönen über die Lippen brachten, und so fand sie es bald lobenswert, dass ihr künftiger Gemahl nicht darauf achtete, zu welchem Glauben sich einer bekannte, wenn der nur ein rechtschaffener Ritter war.

Wie Kriemhild von Etzel empfangen wurde

Si was ze Zeizenmûre   unz an den vierden tac.
diu molte ûf der strâze   die wîle nie gelac,
sine stübe alsam er brünne   allenthalben dan
dâ riten durch Ôsterrîche   des künic Etzelen man.

In Traismauer blieben sie vier Tage, dann ritten sie weiter nach Wien und es geleiteten sie mittlerweile schon so viele Herren, dass der Staub über Österreich schwebte, als brenne es in Feuern der Huldigung. Unter den Herren waren Christen wie Heiden, das sagte ich schon, und sie stritten nicht untereinander, ob ihres Glaubens und ließen alle Gebete gelten. Wie staunte Kriemhild, wie groß die Welt jenseits des Rheins war: Da stürmten Helden aus Griechenland und aus Russland über das Feld und kühne Walachen und Polen ritten miteinander um die Wette; man sah Gesandte aus Kiew in blauen Pelzen, die trugen ein Kreuz mit zwei Balken aus Heliotrop[25] auf den Marderfellhüten, und ihnen zur Seite sprengten Petschenegen, die spannten den Bogen bis zur äußersten Krümmung und beteten einen Vogel an und galten um nichts minder als ihre Brüder, die vor einem Gekreuzigten auf den Knien lagen. Das gefiel Kriemhild wohl und ihr Herz war fröhlich. Im Strom Tausender Spieler verrann die Zeit der Reise im Nu und in Tulln empfing sie schon ihr Bräutigam.

Vor ihm her ritt sein nächstes Gefolge, das waren vierundzwanzig Fürsten, und jeder war ein hochberühmter Held und von hochberühmten Helden umringt wie der Mond von Sternen, und sie alle strahlten vor Glück, wieder eine Herrin zu haben. Da war Herr Ramung, der Herzog der kühnen Walachen, die stoben über die Brache, wie Schwalben schwirren; da war Herr Gibich, dessen Schloss wie ein Adlerhorst zwischen Schneegipfeln hing; da waren Herr Hawart aus Dänemark, der Landgraf Irmfried aus Thüringen, Herr Harborg der Harte aus Polen und Pruzzen und Herr Iring aus Lothringen, der war vom Kaiser geächtet und hatte in Ungarn Hilfe gefunden, und ihnen folgte mit dreitausend langbärtigen Hunnen in weißester Seide auf milchweißen Tieren Herr Bloedel, König Etzels Bruder, und hinter Herrn Bloedels Rittern folgte der Herrscher, und an seiner Seite ritt der gewaltigste Held der Christenheit, Herr Dietrich von Bern. Kriemhild stand überwältigt gleich einer Insel im Rollen des Meeres. »Ihr müsst Euch bereithalten, Herrin«, sprach ihr Rüdiger ins Ohr, »ich will Euch die Ritter nennen, die Ihr mit einem Kuss auszeichnen müsst, die anderen mögt Ihr dann mit einer Verneigung ehren!« Da wurde Kriemhild auch schon von hundert Händen aus dem Sattel gehoben, und König Etzel war vom Pferd gesprungen und eilte ihr entgegen, und Freude durchzuckte sein zerfurchtes Gesicht wie Sonne einen Wolkenhimmel.

»Willkommen, Herrin!«, sprach Etzel, und Kriemhild küsste ihn, und seine Krone rührte an ihre Krone, und das Gold leuchtete über der beiden Gesichter gleich dem Morgenrot über zwei Alpengipfeln. Da sprachen die hunnischen Herren: »Sie ist schön

---

25 ein Edelstein

wie Helche!« Dann küsste Kriemhild Herrn Bloedel und Herrn Dietrich von Bern und Herrn Gibich und noch neun andere Könige, die Rüdiger ihr heimlich zeigte und nannte; vor den anderen verneigte sie sich, und dann erdröhnten Himmel und Erde, als die tausendmal tausend Panzer im Kampfspiel zusammenkrachten, und Christen wie Heiden zeigten im Turnier ihre Künste, und jede war lauten Bewunderns wert. So zog man von Tulln bis Wien, und Kriemhild wurde nicht müde zu schauen, doch was man in Wien sah, wo das Beilager gefeiert wurde, konnten ihre Augen nicht mehr fassen: Das Fest begann zu Pfingsten und währte achtzehn Tage, und es war in Gold und Lust gebettet wie ein Himmel in das Ziehn eines Stromes, der nie versiegt. Der Glanz und das Glück berauschten Kriemhild; sie versuchte die Ritter zu zählen, die ihr nun untertan waren, doch hätte sie jedem ein einziges Goldstück des Hortes gespendet, sie hätte das Gold schon am Abend erschöpft. Da sie solcherart Siegfrieds gedachte, kamen ihr nochmals die Tränen, doch sie verbarg sie vor ihrem Gemahl. Sie fürchtete, dass er sie undankbar schelte, und dabei hätte doch kein Fürst der Erde sie großartiger zu ehren vermocht.

Was sie noch besaß, das verschenkte sie, und alle verschenkten, was sie besaßen, und das Gold glitt durch die Stadt wie durch die Adern das rote Blut. Allein die beiden Hofmusikanten Etzels, die Herren Wärbel und Schwämmel, erwarben jeder wohl tausend Mark oder mehr bei diesem Fest. Ach, solche Zeiten kommen nicht wieder, und freilich auch nicht solche Könige! Es war ein Schall von Lust in der Luft, dass die Sonne erbebte.

Am achtzehnten Tag fuhren Etzel und Kriemhild von Wieselburg aus zu Schiff die Donau hinunter, und das Wasser war so bedeckt mit Menschen und Tieren, dass es schien, als sei es festes Land. Die Schiffe waren aneinander gepflockt, so dass keine Welle sie erschüttern konnte und über den Planken hoben sich Zelte aus Seide, als schwimme im Sommer Schnee dahin. Die Ufer bogen sich unter der Last der jubelnden Menschen, und die Küsse, die zur Königin flogen, flossen wie silberne Wolken über ihrem Scheitel zusammen. So reiste das Paar bis zur Etzelsburg.

»Sieh, all dies ist dein!«, sprach der König zu Kriemhild. »Begehre, was immer du willst, und es wird geschehen!« Da dachte sie, dass sie wohl glücklich sei.

Wie Kriemhild erreichte, dass ihre Brüder zum Sonnwendfest geladen wurden

Mit vil grôzen êren,   dáz ist álwâr;
wónten si mít ein ander   unz an daz sibende jâr.
die zît diu küneginne   eines súns wás genesen.
des kund' der künic Etzel   nimmer vrœlîcher wesen.

So lebten denn Kriemhild und Etzel zusammen und im siebenten Jahr ihrer Ehe gebar Kriemhild dem König einen Sohn. Darüber war Etzel ohne Maßen beglückt, und er erlaubte seiner geliebten Frau, den Thronfolger zu taufen und nach christlichem Brauch zu erziehen. Die Königin nannte ihr Söhnchen Ortlieb und unterwies es von früh auf in allen Rittertugenden und in den Sitten des Hunnenhofes. Sie war bestrebt, der Königin Helche nachzueifern, die alles Volk im Herzen trug, und sie übertraf die Verblichene noch an Großzügigkeit und Milde ihrer freigebigen Hand. Dennoch hieß sie bei jedermann nur die Fremde. Das schmerzte sie.

Ihre Macht war unermesslich. Allein zwölf Fürsten und sieben Königstöchter standen ihr zu Diensten und die erste Dame ihres Hofstaates war die Braut Dietrichs von Bern, dem ganz Italien untertan war. Das Gold, das durch ihre Hand ging, war nicht zu zählen. Was sie befahl, war Gebot; was sie sagte, das war getan, und was sie wünschte, das wurde erfüllt, ehe sie es noch aussprach. So lebte sie dreizehn Jahre.

Im Traum sah sie manchmal Giselher, mit dem ging sie Hand in Hand, und sie herzte und küsste ihn. Manchmal sah sie auch Siegfried und sah sich in Xanten mit ihm im Thronsaal oder in der Nibelungenburg vor den Fjorden und Felsen und dachte, dass

101

sie dort Macht besessen und reich gewesen war. Manchmal sah sie den Hort und manchmal sah sie auch Hagen und Gunther. Da dachte sie: Die beiden sind schuld, dass ich einen Heiden zum Mann habe. Keine Frau am Rhein lebt in solcher Ehe! Siegfrieds Weib verdient wahrhaftig ein anderes Los! Es waren Hagen und Gunther, die mir dies angetan!

Sie dachte: Man nennt mich mächtig und reich, doch in Wahrheit bin ich arm und elend; nicht einmal meinen Todfeinden kann ich ein Leid antun! Was nutzen mir da meine zehntausend Krieger? Wenn sie Hagen töten, würde mich das erfreuen, so aber sind sie nur gut, die Krähen aus der Luft zu schießen. Wahrhaftig, das ärmste Weib am Rhein lebt besser als ich!

Sie dachte: Ich vergehe vor Sehnsucht nach meinen Brüdern! Ich will Etzel bitten, dass er sie einlädt! Mir zuliebe wird er es sicher tun. Giselher sähe ich gar zu gern noch einmal, und Gernot auch. Sie werden mit Gefolge reisen. Ich will endlich wieder einmal unter Landsleuten sein!

Eines Nachts, als der König bei ihr lag und sie umarmt hielt, sprach sie: »Mein liebster Herr und Gemahl, wenn Ihr mich wirklich schätzt, so bittet doch meine Brüder zu mir! Wir empfangen so viele Gäste, doch niemals Ritter vom Rhein, und mich drückt die Sehnsucht, sie wiederzusehen. Eure Leute nennen mich heimlich die Fremde, weil sie die Meinen nicht kennen. Darüber muss ich traurig sein!«

Da küsste der König ihre Augen und sprach: »Ich hätte deine Brüder ja längst geladen, wäre der Weg nur nicht so weit! Ich wollte sie nicht in Verlegenheit bringen. Da du es aber wünschst, will ich sofort zu ihnen senden, denn auch ich sehne mich sehr nach Frau Utes Söhnen!«

Da jauchzte Kriemhild, solche Worte zu hören, und sie sprach: »Noch nie sind hunnische Spielleute in Worms gewesen! Sendet doch die Herren Wärbel und Schwämmel als Werber, das wird meine Brüder beglücken! Und heißt sie eilen, ich bitte Euch sehr. Zu unserem Sonnwendfest sollten sie hier sein!« Auch das versprach ihr der König. Dann lag er selig bei ihr bis zum Morgendämmern.

Sofort in der Frühe wurde zur Heroldsfahrt gerüstet und die Königin bat Wärbel und Schwämmel zu einem Geheimgespräch zu sich. Sie sagte: »Ihr könnt euch Botenbrot verdienen, wie es noch kein Spielmann empfangen hat!«

Das sprachen die beiden: »Herrin, was ist Euer Begehr?« Da sagte Kriemhild: »Richtet euch in Worms genau nach meinen Worten und ihr zählt zu den Reichsten im Hunnenland! Sagt nie, dass ihr mich je traurig sahet, das ist das Wichtigste, das behaltet wohl! Sprecht nur: Die Königin ist glücklich, ihr Leid ist zertaut wie der Schnee im Mai und ihr Frohsinn erwärmt noch im Winter das Hunnenland! Und dann sagt: Die Königin ist sehr traurig, denn es schmerzt sie, dass man sie nur die Fremde nennt. Man glaubt, so sprechet, dass sie keine Verwandten besitze und ganz schutzlos bliebe nach Etzels Tod! Dies sagt so, dass kein Ritter es hören kann ohne den Wunsch, sofort herzureisen! Sprecht vor allem zu Giselher so; sagt ihm, ich verzehre mich vor Sehnsucht nach ihm! Und meiner Mutter Ute sagt, noch nie sei eine Königin so geehrt worden wie ihre Tochter. Vor allem aber sorgt, dass Hagen mitkommt. Wenn er sich weigert, so seid erstaunt, dass der einzige Kenner des Wegs in Burgund zurückbleibt. Hagen muss mitziehen, er vor allem! Das ist mein Auftrag an euch! Gott schütze und segne eure Reise! Schafft mir die Nibelungen her!«

»Die Nibelungen?«, fragte Wärbel erstaunt. »Wer ist das, Herrin?«

»Sie besitzen den Hort der Nibelungen«, erwiderte Kriemhild, »darum nenne ich sie so. Nun geht und bedenkt, wie ihr Hagen herbringt!«

Da wunderte es die Spielleute, dass Kriemhild so darauf drängte, Hagen im Hunnenland zu haben, allein Kriemhild erstickte ihre Verwunderung in Gold. Sie überschüttete sie mit Geschenken und gab ihnen einen Vorgeschmack des süßen Lebens, das sie nach einer erfolgreichen Rückkehr erwartete. Da gingen die beiden in der Herrin Gebot auf. Das sollte schlimme Folgen haben.

Wie Wärbel und Schwämmel ihre Botschaft überbrachten

Dô Etzel zuo dem Rîne   sîne boten sande,
dô flugen disiu mære   von lándé ze lande.
mit boten harte snellen   er bat und ouch gebôt
zuo sîner hôhgezîte: des holte maniger dâ den tôt.

So zogen Etzels Boten zum Rhein und vierundzwanzig hunnische Hünen geleiteten sie. In Pöchlarn hielten sie Rast, und dort
wurde das Gepäck ihrer Grüße und Geschenke schwerer, und in
Passau bei Fürstbischof Pilgrim erhielt es dann sein volles Gewicht. Sie kamen auch heil durch Bayern, denn sie führten Etzels Wappen mit sich, und das schreckte die Räuber. Nach zwölf
Tagen hielten sie in Worms.
König Gunther empfing sie auf Hagens Rat mit höchster Ehrer-
bietung im Thronsaal und hieß sie vor all seinen Herren freundlich willkommen. »Sagt mir doch ohne Umschweife, viele edle
Herren«, so rief er, »wie geht es Etzel, und wie unserer lieben
Schwester, seinem hohen Gemahl?« – »Nichts trübt seit dreizehn
Jahren das Glück der beiden«, sprachen da Wärbel und Schwämmel und verneigten sich tief, »es fehlt ihnen nur eins zur vollkom-
menen Seligkeit, und das ist die Freude, euch wieder zu sehen, er-
habene Könige von Burgund! Dass ihr euch von ihnen so ferne
haltet, beunruhigt meine Herrin wie meinen Herrn, und sie fragen sich, wodurch sie euch wohl gekränkt haben sollten. Sie können es nicht länger erwarten, euch bei sich zu haben!«
»Ich bin beglückt zu hören, dass es dem hohen Paar wohl er-
geht«, erwiderte König Gunther, »allein was die Reise betrifft, so
muss dies gründlich beraten werden; es gibt hier viel zu bedenken und abzuwägen! Dies wollen wir aufs Gründlichste tun; indessen ruht euch aus und erquickt euch, denn euer Weg war lang
und beschwerlich! In sieben Tagen erhaltet ihr dann Bescheid!«
Da sprach Wärbel: »Wir wollen, wenn Ihr erlaubt, zuvor noch der
Königin Ute unsre Aufwartung machen; es verlangt uns sehr, ihr

ergeben zu sein!« Da sprach König Gunther: »Das ist sehr nobel und höflich, ihr Herren«, und der junge Giselher führte die Boten zu Utes Gemächern. »So lebt meine Schwester also glücklich?«, fragte er, da sie zum Palas der Königin schritten. »Sie verzehrt sich vor Sehnsucht nach Euch«, erwiderte Wärbel und Schwämmel sagte: »Sie seufzt oft und denkt, Ihr habt sie vergessen! Manchmal weint sie sogar und nennt dabei Euren Namen! Doch sagt es niemand, wir bitten Euch sehr, dass wir Euch dies gemeldet haben! Es ist uns von der Herrin bei Strafe verboten, Euch zu beunruhigen, doch wir brachten es einfach nicht übers Herz zu schweigen!« Da nahm Giselher seinen goldenen Stirnreifen ab und brach ihn entzwei und schenkte ihn Wärbel und Schwämmel zu gleichen Teilen.

Am selben Tag noch beriet König Gunther mit seinen Herren, wie man sich zu Etzels Botschaft verhalten solle. Der Rat fast aller ging dahin, die Einladung anzunehmen, nur Hagen widersetzte sich aufs Heftigste. »Ihr redet, als ob Ihr Euer eigener Feind wäret«, so sprach er zu Gunther. »Ihr wisst doch genau, was wir Kriemhild angetan. Wir haben Siegfried erschlagen oder hat uns das nur geträumt? Ich kenne im Odenwald eine Quelle, habt Ihr die vergessen? Nun, Kriemhild vergaß sie gewiss nicht! Wie könnten wir da ins Hunnenland reiten?«

»Sie hat uns verziehen, als sie noch in Worms war«, beruhigte ihn Gunther, »sie bot mir doch selbst den Versöhnungskuss!«, erinnerte Gernot. »Seitdem sind dreizehn Jahre vergangen«, entgegnete Gunther, und ihr habt ja alle gehört, dass sie Siegfrieds nicht mehr gedenkt!« – »So reden ihre Leute«, sagte Hagen. Da sagte Giselher: »Wenn Ihr Euch vor einer Frau fürchtet, Tronje, so hindert Euch nichts, zu Hause zu bleiben und uns andere die Reise wagen zu lassen! Ich wenigstens werde zu Kriemhild ziehen!« Da schrie Hagen in hellem Zorn: »So soll denn geschehen, was geschehen soll! Ihr werdet mich nimmer feige nennen! Reiten wir also!« – »Ihr solltet auf Hagen hören«, sprach da Herr Rumold, der Küchenmeister, »er rät uns mit Recht, zu Hause zu bleiben. Nirgendwo könnten wir's besser finden! Küche und Keller sind wohl bestellt; wir leben im Überfluss und haben alles, was das Herz nur begehrt, was müssen wir da ins Hunnenland reiten!« – »So wollen wir Etzel melden, wir könnten nicht kommen, wir säßen lieber bei Rumolds Töpfen als an seinem Hof?«, fragte Gernot aufgebracht. Da sagte Hagen: »Es ist entschieden. Wir werden reisen und tausend Mann mitnehmen; das ist zwar maßlos für einen Besuch, doch damit können wir den Teufel in der Hölle besiegen! Ich will jeden einzelnen Ritter auswählen und auf jeden Fall sollen Volker und Dankwart dabei sein! Und wenn wir schon reiten, lasst uns diesen wendigen Boten auf dem Fuße folgen, dann bleibt Kriemhild nicht Zeit, etwas gegen uns vorzubereiten!« So beschlossen sie es. Sie hielten die hunnischen Edlen, wie sehr diese auch zum Aufbruch drängten, zurück und entließen sie erst, als sie selbst zur Reise gerüstet waren. Als die Boten Abschied nahmen, sahen sie einen Schatten durch den Burghof gleiten, der sah aus wie ein Mensch.

»Was ist das?«, fragten sie erschauernd.

»Die hochedle Königin Brünhild, kennt ihr sie nicht?«, entgegnete ihnen Herr Volker verwundert. Da graute es den Herren und sie machten sich eilends auf den Weg.

In der Etzelburg wartete Kriemhild voll Ungeduld. »Ihr wart höchst saumselig«, sprach sie, »was habt ihr erreicht? Werden alle kommen, die der König geladen hat? Wird Herr Hagen dabei sein? Was hat er zu der Reise gesagt?«

»Wenig Gutes«, antworteten die Herren Wärbel und Schwämmel, »allein er kommt mit Euren edlen Brüdern, und auch Herr Volker begleitet ihn!«

»Das freut mich zu hören«, sprach Kriemhild, »dass Herr Hagen uns die Ehre gibt! Herr Volker soll mich nicht kümmern, der komme und gehe, wie er mag. Herrn Hagen aber bin ich gewogen. Er ist ein berühmter Held, und ich bin erfreut, ihn hier zu empfangen!«

»Seid Ihr nun glücklich, vielliebe Frau?«, fragte König Etzel.

»Ich werde es bald sein«, erwiderte Kriemhild, »nun rüstet zum Fest, uns bleibt ja nicht mehr viel Zeit dazu!«

Wie die Nibelungen zu den Hunnen reisten

Nu lâze wir daz belîben,   wie sie gebâren hie.
hôchgemuoter recken   die gefouren nie
sô rehte hêrlîche   in dehéines küneges lant.
si heten swaz si wolden,   beidiu wâfen unt gewant.   5

Tausendundsechzig Ritter und neuntausend Knechte hatten
sich zur Reise ins Hunnenland gesammelt, und der Bischof von
Speyer segnete im Burghof ihren Zug, da rief die Königin Ute
noch einmal ihre Söhne samt den Edelsten des Hofes zu sich und
sprach:»Ihr Herren, ich habe einen schlimmen Traum gehabt!   10
Ich sah einen schweigsamen Morgen über Burgund kommen, da
lagen alle Vögel tot auf der Erde! Ich bitte euch, bleibt; ihr zieht in
euer Verderben!« Hagen aber erwiderte:»Welcher ehrliche Ritter
lässt sich durch Träume schrecken? Die Könige haben zu reisen
beschlossen, also werden wir reisen. Wir wollen Kriemhilds Fest   15
gern mit eigenen Augen schauen!«
So setzten sie denn über den Rhein und brauchten dazu einen
ganzen Tag. Am anderen Ufer war ihr erster Rastplatz. Dort lag
König Gunther noch einmal bei seinem Weibe und sie war ihm so
lieb wie sein Leben. Dann trennten sie die Posaunen und Flöten   20
des Aufbruchs und der Morgen verscholl im zehntausendfachen
Jammern und Weinen der Frauen.
Die Helden reisten frohgemut. Dankwart war ihr Marschall,
Hagen ihr Späher. Sie ritten in ihren Kettenpanzern durch Ost-
franken an den Main und weiter über das Schwalbenfeld hin-   25
unter zur Donau. Die führte Hochwasser; die Ufer lagen über-
schwemmt; im reißenden Strom trieben entwurzelte Bäume und
es war keine Fähre zu erblicken. Da zog Hagen aus, eine Furt zu
finden, und da Bayern nah war, ging er in voller Rüstung mit dem
Schwert in der Hand.   30
Nachdem er lange Zeit das Ufer durchstreift hatte, stieß er auf
eine Quelle. Dort badeten Wasserfrauen. Als sie Hagen erblickten, kreischten sie auf und schwammen auf den offenen Strom.

Hagen nahm ihre Kleider an sich. Da sprach Hadeburg: »Gib uns die Kleider heraus, kühner Held, und wir werden dir sagen, wie eure Fahrt ins Hunnenland endet!« Sie lagen wie Möwen auf den Wellen. Hagen nickte. »Ihr könnt unbesorgt reisen«, sagte Hadeburg, »nie brachte eine Fahrt mehr Ehre und Ruhm als die eure!« Da gab ihnen Hagen gerne die Gewänder zurück. Während des Ankleidens aber sprach Sigelind: »Ich warne dich, Hagen, Aldrians Sohn, meine Muhme hat falsch gesprochen! Unheil erwartet die Nibelungen! Kehrt um, noch ist dazu Zeit! In Etzels Land lauert der Tod!« – »Ich glaube euch kein Wort mehr«, erwiderte Hagen, »wie könnte der Hass eines Menschen Zehntausende töten?« Da sprach Hadeburg: »Ein Einziger wird zurückkehren, und das ist euer Kaplan! Ihr anderen werdet sterben. Das ist die Wahrheit!« Da rief Hagen voll Wut: »Wenn ihr alles so genau wisst, dann verratet mir auch, wie wir über den Fluss kommen!« – »Geh stromaufwärts«, rief Sigelind, »dort steht ein Haus am anderen Ufer, darin wohnt der Fährmann. Er dient König Gelpfart von Bayern. Hüte dich vor seinem Zorn und gib ihm den Lohn, den er begehrt! Will er dich aber nicht holen, so sage, du heißest Amelrich und wärst deinen Feinden entflohen, dann kommt er gewiss!« Da dankte ihnen Hagen und ging stromaufwärts. Die Meerweiber lachten. Dann tauchten sie in die Quelle zurück.

Hagen ging ein paar Schritte, dann sah er das Haus. Er rief übers Wasser: »Hol über, Fährmann!« Die Wellen rauschten. Hagens Stimme überscholl ihren Lärm. »Hol über, Fährmann«, so rief er, »ich danke es dir mit rotem Gold!« Die Wellen tosten. Da schrie Hagen: »Hol über, Fährmann! Hier steht Amelrich. Ich bin endlich meinen Feinden entflohen!« Da trat der Fährmann mit seinem jungen Weib aus dem Haus, und als Hagen ihn erblickte, steckte er seine goldene Brustkette auf das Schwert und ließ sie in der Sonne blitzen. Da hakte der Fährmann den Kahn los. Sein Weib schrie, er solle bei ihr bleiben, doch da ruderte der Fährmann schon tief im Strom. Als er am Ufer anlegen wollte, sprang Hagen zu ihm.

»Wer bist du?«, rief der Fährmann voll Wut. »Du bist nicht Amelrich! Vielleicht führst du diesen Namen, doch du bist nicht mein Bruder! Du hast mich betrogen! Steig aus, wenn dir dein Leben lieb ist!«

»Wenn ich auch Euer Bruder nicht bin, Fährmann«, erwiderte Hagen, »so bin ich doch in Not und will Euch die Überfahrt königlich lohnen!« – »Mein Herr hat Feinde genug im Land«, sagte darauf der Fährmann, »steig aus!« Da sagte Hagen: »Ihr verdrießt mich! Nehmt diese goldene Kette, sie soll Euer Lohn sein! Ihr werdet einen ganzen Tag lang fahren müssen! Wir sind unserer tausend, und auch tausend Pferde!« Da hob der Fährmann das Ruder und holte zum Schlag aus; Hagen wollte ausweichen, doch dabei stolperte er und fiel hin, und der Fährmann schlug ihm auf den Helm, dass das Ruder zerbrach. Da zog Hagen sein Schwert und köpfte im Knien den Fährmann und warf Kopf und Rumpf in die brüllende Flut. Dann versuchte er das Boot, das abtrieb, ans Ufer zu zwingen, da zerbrach die andere Ruderstange. Der Kahn tanzte hilflos in der Strömung, doch Hagen band das Ruder mit seinem schmalen Schildriemen zusammen und fuhr so bis zum wartenden Heer. Als er anlegte, rauchte das Blut aus dem Boot. Darüber entsetzte sich König Gunther. »Habt Ihr etwa den Fährmann erschlagen, Hagen?«, so fragte er.

»Ich weiß von keinem Fährmann«, erwiderte Hagen. »Ich ging am Ufer, da fand ich das Boot vor einer Weide. Steigt ein!«

»Wie sollen wir damit über den Strom?«, fragte Gernot, »wir sind unser tausend samt zehntausend Knechten und Zaumzeug und Kleidung und Rüstung und Geschenken! Und was fangen wir ohne Fährmann an?« – »Steigt ein«, rief Hagen, »ich setze euch über; die Pferde treibt in den Strom, die schwimmen schon an ihr Ziel!« Da stiegen die Herren ein und die Knechte verluden Gewänder und Gold und Sättel und Zaumzeug und trieben die Pferde in den Strom. Dann stiegen sie zu ihren Herrn, denn das Boot war geräumig. Die Pferde schwammen. Hagen stieß ab. Er ruderte mit der geborstenen Stange. Im Strom trieben Bäume und ertrunkenes Vieh. Da gedachte Hagen des Spruchs der Nixen und

109

er sah den Kaplan am Rand des Kahns sich über sein Messgerät[26] auf die Bordkante stützen. Nun soll sich die Wahrheit erweisen, dachte Hagen und stieß den Kaplan hinterrücks in die Flut. Der Kaplan konnte nicht schwimmen; er versuchte, sich an den Kahn zu klammern, allein Hagen schlug ihm auf die Hände und tauchte ihn mit dem Ruder unter. Das erzürnte Gernot und Giselher, doch sie standen von Hagen getrennt und konnten nichts hindern. »Das ist eine Untat, Herr Hagen!«, rief Giselher wütend, »was hat Euch der arme Pfaff getan!« Der schrie, mit den Wellen kämpfend, kläglich um Hilfe, und man wollte ihm auch beispringen, allein Hagen vereitelte jede Rettung. Der Kaplan sank schon, da fasste der Wind seine Kutte und blähte sie wie ein Segel und trug den Ärmsten zum Ufer zurück. Dort kroch er ins Gras und schüttelte sich wie ein Hund. Da stieß der Kahn ans andere Ufer. Der Fluss schrie laut. Die Ritter und Knechte gingen an Land und luden die Güter aus, und da schwammen auch die Pferde heran, und es fehlte keines. Da packte Hagen sein Schwert und zerschlug das Boot.

»Was tust du da, Bruder?«, schrie Dankwart entsetzt. »Wie sollen wir über den Strom zurück, wenn wir wiederkehren?« Da dachte Hagen: Es kehrt keiner wieder! Jedoch er sagte: »Ich tat dies, falls ein Feigling unter uns umkehren möchte!« Da murrten die Ritter, dass unter ihnen kein Feigling sei; Volker jedoch stimmte Hagen zu. Er stimmte allem zu, was Hagen riet oder tat, und er hatte großes Geschick, andere zu überzeugen. So war bald jeder mit Hagen versöhnt.

Sie sattelten und zäumten die Rosse und ritten ins Land König Gelpfarts. Sie hatten bislang nur einen Mann verloren, das war der Kaplan. Der ging jenseits des Stroms mit triefender Kutte nach Worms zurück.

---

26 gemeint sind die Gerätschaften zum Halten der Heiligen Messe

Wie Gelpfart von Dankwart erschlagen wurde

Dô si nu wâren alle   komen ûf den sant,
der künec begonde vrâgen: »wer sol uns durch daz lant
die rehten wege wîsen,   daz wir niht irre varn?«
dô sprach der starke Volkér: »daz sol ich éiné bewarn.«

»Wer soll uns durch Bayern führen«, fragte König Gunther, »wer
weiß hier Bescheid?« – »Das lass mich machen«, erwiderte Volker,
»ich kenne hier jeden Weg und Steg!« Da sagte Hagen: »Nun hört
mein Wort, ihr Herren Ritter, und auch ihr Knechte! Ich habe
euch Schlimmes zu melden. Zwei Nixen haben mir geweissagt,
von uns allen kehre nur der Kaplan nach Burgund zurück. Diesen Spruch habe ich wollen zuschanden machen, doch nun ist er
erfüllt! Da wird sich der Rest wohl auch erfüllen! Ich rate euch,
waffnet euch fortan gut!«
Da wurden die Helden bleich, denn den Tod fürchten alle. Dann
aber dachte jeder: Das ist eine Lüge; Hagen will uns erproben. So
ritten sie weiter. Sie hätten noch umkehren können, doch sie ritten weiter. Da sagte Hagen: »Habt Acht auf die Straße! Ich habe
gestern den Fährmann erschlagen, das muss mittlerweile ruchbar
sein! Sicher schickt Gelpfart nun Rächer aus! Ich will mit Dankwart in der Nachhut bleiben. Wir werden langsam reiten, damit
es nicht aussieht, als seien wir auf der Flucht!«
Es war schon spät am Tag, als sie nach Mehringen kamen, da
sprengte König Gelpfart mit siebenhundert Rittern die Straße
herunter und eilte hinter den Trabenden her. Hagen ließ halten und die Helme festbinden. »Wir suchen die Mörder unseres
Fährmanns«, rief König Gelpfart, »wisst ihr etwas von ihnen? Sie
haben einen tapferen Helden erschlagen und sollen es büßen.«
Da fragte Hagen: »So war der Fährmann in Euren Diensten?
Wahrhaftig, das wusste ich nicht. Ich habe ihm reichlich Lohn
geboten, Gewänder aus Gold, doch er wurde wütend und griff
mich an und schlug mich nieder, da habe ich mich meiner Haut
gewehrt. Ich habe ihn verwundet, daran ist er gestorben. Es tut

mir Leid, Euch geschadet zu haben, allein es war Notwehr und nicht Mord!«

»Ihr habt ihn erschlagen und werdet es büßen«, rief Gelpfart, und er rannte mit eingelegter Lanze auf Hagen los. Der rasende Stoß bäumte Hagens Pferd; der Sattelgurt riss und der Tronjer stürzte hinüber ins Gras. Gelpfart sprang ab und griff den Auftaumelnden mit dem Schwert an; er schlug ihm ein großes Stück aus dem Schild und brachte ihn in so arge Bedrängnis, dass Hagen seinen Bruder Dankwart zu Hilfe rief. Der hieb sich durchs Getümmel, das im Nu aus wildestem Hass entbrannt war, und zu zweit schlugen sie schließlich den König tot. Als die Bayern das sahen, flohen sie übers Feld, und die Burgunder verfolgten sie in die Nacht hinein. Da der Mond die Wolken durchbrach, zählten sie ihre Toten. Sie hatten vier Ritter verloren, die Bayern wohl hundert. Der heftige Kampf hatte die Sieger erschöpft und sie wollten sich ins Moos legen und schlafen, allein Hagen und Dankwart durften eine Rast nicht dulden, und so ritten sie, wie müde sie auch waren, die ganze Nacht hindurch und holten in der Früh bei Passau die Hauptmacht ein. Dort wurde das Lager aufgeschlagen, und der Onkel der Könige, der Fürstbischof Pilgrim, las eine Messe und segnete das riesige Heer, das setzte dann über die Donau und zog weiter zu Rüdigers Lehen. Diesen Weg ritt Hagen wieder voran.

An der Grenze der hunnischen Mark lag ein schlafender Ritter. Hagen nahm ihm das Schwert vom Gehenk, dann weckte er ihn, und da sah er erstaunt, dass der Erwachende Herrn Eckewart glich, allein sein Bart floss ihm bis aufs Knie, und sein Gesicht war verwittert wie Eichenrinde, und sein Haar war schütteres Silber. »Weh mir, dass ich einschlief!«, rief der Ritter. »Wie schlecht hab ich meinen Dienst getan! Nun bin ich ehrlos für immer!« Der Alte weinte; da gab ihm Hagen das Schwert zurück und schenkte ihm noch sechs goldene Ringe und sprach: »Klagt nicht; Ihr seid ein tapferer Ritter, allein wer seid Ihr? Seid Ihr Eckewart? Was tut Ihr hier so allein?«

»Kriemhild schickt mich«, erwiderte Eckewart. »Ich warte auf euch schon tausend Jahre, darum schlief ich ein. Wie schlecht

tue ich meinen Dienst! Kriemhild warnt euch, weiterzureisen. Im
Hunnenland lauert der Tod. Kehrt um, es ist noch Zeit dazu! Das
ist die Botschaft meiner Herrin!«

Die Stimme des Alten ging wie der Wind und der Wind wehte
ihm durch die Kleider und durch den Leib. »Siegfried ist erschlagen«, sprach Eckewart, »hütet euch wohl! Ihr sollt alle zu ihm ins
Grab! Wie bin ich müde! Tausend Jahre warte ich schon auf euch!
Habt Dank für die Reifen! Mehr spreche ich nicht!« Der Wind
verwehte sein Wort und verwehte seine Kleidung und seinen
Leib. Hagen stand allein. Es geschehen seltsame Dinge auf dieser
Reise, dachte er. Da dröhnte die Straße und Markgraf Eckewart
sprengte heran. Seine Augen waren frisch und sein hartes Kinn
im glatten Gesicht war bartlos. Er lachte, da er Hagen sah, und
schwenkte zur Begrüßung seinen bunten Hut.

»Willkommen vor Etzels Mark und Rüdigers Burg, Herr Hagen«,
sprach Eckewart, »die gute Königin Kriemhild schickt mich, für
euch zu sorgen! Herr Rüdiger und Frau Gotelind erwarten euch
und ihr Haus ist von Behaglichkeit so voll wie eine Maiau von
Blumen!«

»Ich danke Euch, Herr Eckewart«, erwiderte Hagen, »sahen wir
uns heute nicht schon einmal?«

Eckewart schüttelte verwundert den Kopf. »Wie könnte das sein«,
sprach er, »da ich doch geradewegs aus Rüdigers Burg komme?«

»So lasst uns denn zu Herrn Rüdiger ziehen«, entgegnete Hagen,
»eine Rast wird uns allen gut tun!« Fern zwischen den Höhen
blitzte der Stahl der Hauptmacht. Der Wind sauste. Sie ritten
dahin.

Wie die Nibelungen nach Pöchlarn reisten

Dô gie der marcgrâve   dâ er die vrouwen vant,
sîn wîp mit sîner tohter,   und sagete in zehant
diu vil lieben mære,   diu er hete vernomen,
daz in ir frouwen brüder   dar ze hûse solden komen.

Herr Rüdiger und Frau Gotelind hießen ihre Gäste von Herzen
willkommen und empfingen sie auf die nobelste Art. Rüdiger
ging ihnen bis zur Donau entgegen. »Ich fürchte, wir bringen
Euch in Verlegenheit«, sprach Dankwart, »wir sind unser tausend und dazu neuntausend Knechte im Tross! So gastfrei auch
Euer Haus ist, Ihr könnt unmöglich für alle sorgen!« – »Das lasst
mich und Frau Gotelind und meine tüchtige Dietlind nur machen«, erwiderte Rüdiger, »es ist an alles gedacht; Speise und
Trank steht bereit, und die Wiesen hier haben wir etwas einge-
ebnet, da schlagt eure Zelte auf! Die Pferde könnt ihr frei laufen lassen; ich habe Wachen ringsum gestellt, und ihr seid ganz
sicher vor Räubern und Dieben! Euer Gepäck wird in der Burg
verwahrt; kein Sporn und keine Schnalle werden verloren gehen,
und käme doch etwas abhanden, so leiste ich gerne Schaden-
ersatz! Meine Mark ist klein, doch niemand soll sie unwirt-
schaftlich schelten! Nun aber folgt mir, ich bitte euch herzlich,
zur Burg; meine Frau und meine Tochter vergehen schon vor
Ungeduld, euch zu bewirten!« Da folgten die Ritter Herrn Rüdiger freudig zur Burg, denn so einladend hatte noch kein Gastgeber zu ihnen gesprochen. Unterm Tor stand Frau Gotelind mit
ihrer Tochter und sechsunddreißig Edelfräulein und allen Frau-
en der Vasallen; sie trugen Gold um Hals und Haar, und auf
ihren grünen Gewändern glühten Rubine, und sie waren selbst
Rosen im grünen Mai. Kaum eine von ihnen hatte es nötig gehabt, sich zu schminken, und keine brauchte falsches Haar. Herr
Rüdiger hatte die Frauen gebeten, die vornehmsten seiner Gäste
mit einem Kuss zu begrüßen, und so küsste denn Dietlind, wie
ihre Mutter es tat, die Könige Gunther, Gernot und Giselher,

dann küsste sie die Herren Dankwart und Volker, jedoch vor Hagen schrak sie zurück. Sie wurde blass und rot vor Schreck, als sie dachte, dass dies der Mann sei, der Siegfried erschlagen; sie wandte sich ab und war zum Sterben verlegen, allein ihr Vater stieß sie in den Rücken, und sie überwand sich und küsste, wenn auch ihr Herz zu zerspringen drohte, Herrn Hagen flüchtig auf die Stirn. Der junge Giselher sah ihre Angst. »Ich will Euch geleiten, liebstes Fräulein«, so sprach er und fasste ihre Hand. Frau Gotelind führte Herrn Gunther, und Rüdiger ging neben Gernot, den eigentlich die junge Markgräfin hätte geleiten sollen. Die Damen in ihrem Rubinglanz aber versickerten in der Flut der Ritter.

Als zu Tisch gebeten wurde, trennte man sich wieder; Herren und Damen speisten, wie es die gute Sitte gebot, getrennt, nur die Hausfrau saß der Rittertafel obenan. Die speiste und trank und war voller Fröhlichkeit und die Rufe nach der schönen Tochter verstummten nicht. Herr Volker sprach: »Erlauchter Herr Markgraf, wie reich hat Euch doch Gott gesegnet! Welch ein schönes Weib nennt Ihr Euer Eigen und welch eine schöne Tochter auch! Wahrhaftig, wenn ich ein König wäre, dann wagte ich, um das Fräulein zu freien!«

Da wurde Frau Gotelind röter als alle Rubine und Rüdiger sprach: »Ihr tut mir zu viel Ehre an, lieber Herr von Alzay! Wir sind arme Vertriebene aus dem arabischen Spanien und leben von Gnaden unseres guten Königs Etzel; Ihr seid zu aufmerksam, dass Ihr uns so schmeichelt!« – »O nein, nichts von Schmeichelei gesagt!«, rief da König Gernot. »Wahrhaftig, wenn ich noch Junggeselle wäre und eine Braut wählen sollte, wählte ich niemand anderes als Euer Töchterlein! Sie ist so zuchtvoll und heiter und kostbar und innig zugleich, dass man sie einfach lieben muss!« – »Was redet ihr viel von Wenn und Aber, ihr Herren?«, rief da Hagen. »König Giselher ist doch noch unbeweibt, und es ist Zeit, dass er sich vermählte! Ich weiß, dass es ihm schwer fällt, sein Herz zu offenbaren, darum rede ich davon! Die junge Markgräfin ist von edelster Abkunft und Art, und wenn mein Herr Giselher ihr daheim am Rhein eine Krone aufsetzte, wahrhaftig, ich und meine Ritter beugten gerne zu ihrem Dienste die Knie!«

Da blickten Herr Rüdiger und Frau Gotelind einander voller stolzer Freude an, und man kam noch bei Tisch überein, die Verlobung zu feiern, und es war keiner glücklicher darüber als der junge Giselher. König Gunther übereignete dem Paar als Morgengabe eine Burg über Worms und dazu gebührend Land und Leute und König Gernot beeidete als Zeuge diesen Vertrag. Da sagte der Markgraf: »Ich habe nicht Lande noch Burgen außer dieser einen, und die gehört meinem guten König, doch ich will meiner Tochter hundert Saumtierladungen Silber mitgeben und Euch einen Schatz, der mehr wert ist als Gold: meine Treue!« Da wurde nach dem Fräulein geschickt und die Ritter schlossen einen Ring um das junge Paar; die Braut aber war so verwirrt, dass sie der Vater in den Rücken stoßen musste, als es ihr Ja zu sprechen galt. Dann ertrank ihre Stimme in Freudentränen.

Man kam überein, das Beilager nach der Rückkehr aus Ungarn zu feiern. Herr Rüdiger und Frau Gotelind nötigten ihre Gäste, noch vier Tage zu bleiben, bis das letzte Fässchen Wein und der letzte Laib Käse verzehrt waren, und als sie schieden, wurden ihnen kostbare Gaben zuteil. Was einer nur ansah, als ob es ihm gefalle, das wurde sein Eigen, und wenn die stolzen Burgunder gewöhnlich von niemandem Geschenke annahmen, von diesen Wirten nahmen sie alles mit Dank. König Gunther empfing einen Harnisch, der jedem Fürsten zur Ehre gereicht hätte, König Gernot ein Schwert (mit dem er dann Rüdiger töten sollte), Hagen einen seeblauen Schild, Dankwart einen Ballen Gewänder aus Pfellel und Herr Volker für sein zaubrisches Geigenspiel zwölf Ringe aus syrischem Gold. Giselher hatte Dietlind empfangen, doch er hatte noch nicht bei ihr gelegen; sie wollte es nicht, ehe nicht die Hochzeit gefeiert war. Zum Abschied küsste sie ihn auf den Mund; Süßeres war ihm von einer Frau noch nicht gewährt worden und Süßeres war ihm auch nicht mehr vergönnt.

Herr Eckewart drängte zum Aufbruch.

»Ich habe euch Treue gelobt«, sprach der Markgraf, »und ich will sie euch sogleich beweisen. Ich gebe euch mit fünfhundert Mann Geleit bis zur Etzelsburg. Ihr sollt gänzlich sorglos und sicher reisen!« Also geschah es. Plaudernd ritten die neuen Verwandten durch das blühende österreichische Land und die Donau spiegelte ihre heitren Gesichter zwischen Bergen und Bäumen.

Als König Etzel das Nahen der Gäste gemeldet wurde, hieß er die Anstalten zum Empfang noch einmal aufs Sorgfältigste überprüfen, und er ließ es sich nicht nehmen, selbst nach dem Rechten zu sehen. Die Königin stand zu dieser Stunde an einem Fenster ihres Saales und hunnische Edle umringten sie. Auf der Straße wallte Staub und Harnische blitzten. »Sie haben sich in Worms neue Schilde und Halsberge[27] angeschafft«, sprach Kriemhild vor sich hin. Und sie sagte laut: »Es naht eine günstige Stunde! Wer sich Gold erwerben will, kann es bald tun. Er mag nur meines Leids gedenken!«

Wie die Burgunder zu den Hunnen kamen

Dô die Burgonden   kômen in daz lant,
do gevriesch éz von Berne   der alte Hildebrant.
er sagtez sînem herren,   ez was im harte leit.
er bat in wol enpfâhen   die ritter küene unt gemeit.

Da die Burgunder zur Etzelsburg zogen, ging ihnen Herr Dietrich von Bern zu Fuß entgegen. Sein Waffenmeister, der greise Herr Hildebrand, sein Schwestersohn Wolfhart und viele edle Herren aus dem Heer der Amelungen schritten an seiner Seite. Als Hagen die Berner heranreiten sah, riet er den Königen abzusteigen und ihnen, die ihnen zur Ehre entgegengingen, ebenfalls zur Ehre entgegenzugehen.

Herr Dietrich zeigte sich, obwohl König Etzel sein Lehnsherr war, überaus bekümmert, seine Freunde im Hunnenland zu erblicken.

---

27 eigentl. *was den Hals birgt;* metallener Halsschutz

Er dachte: Wissen sie nicht, was Kriemhild plant? Seit wann ist Hagen derart verblendet? Und warum nur hat Rüdiger sie nicht gewarnt? Er ist wahrhaftig zu arglos und aus Dankbarkeit zu kindhaft gläubig, wenn es seine Herrschaft betrifft!

Und er dachte: Noch können sie umkehren! Es widerspricht meiner Treuepflicht nicht, wenn ich sie warne. Es darf nicht geschehen, dass sie in den Tod gehen!

Er umarmte die Könige. »Willkommen, ihr Herren vom Rhein«, so sprach er, »willkommen, Herr Dankwart, willkommen, Herr Volker, willkommen, Herr Hagen, was tut ihr hier? Ist euch nicht bekannt, dass die Königin immer noch Trauer hat? Sie ist nicht zu Festen gestimmt; sie weint noch immer um Siegfried! Kehrt um, ihr kommt nicht gelegen!« – »Siegfried ist längst begraben«, erwiderte Hagen, »und aus dem Grab kehrt keiner zurück!« – »O du Schwert und Schild der Nibelungen, wie furchtbar sprichst du die Wahrheit«, rief da Herr Dietrich, »nun sieh zu, dass euch dieser Spruch nicht trifft! Solange Kriemhild atmet, atmet sie Rache! Ich habe euch gesagt, was ich weiß! Hütet euch!«

»Ihr redet höchst seltsam, vieledler Freund Dietrich«, sprach da König Gunther, »warum sollten wir uns zu hüten haben? Wir wurden eingeladen, wie es sich geziemt; wir haben die Einladung angenommen und nun sind wir hier und gedenken zu feiern! Herr Etzel ist wohl ein Heide, doch er gilt als ein Vorbild der Ritterschaft; es kann nicht sein, dass er sich an seinen Gästen vergreift! Und auch meine Schwester hat ja nach uns gesandt!« Da seufzte Dietrich. »Ich bitte Euch, was wisst Ihr von Kriemhilds Plänen?«, fragte ihn Hagen. »Sie steht jeden Abend am Fenster und schaut der Sonne nach, wenn sie sinkt, und weint und nennt Siegfrieds Namen«, erwiderte Dietrich, »genügt Euch das?« – »Wir werden es nicht mehr ändern«, entgegnete Volker, »lasst uns weiterreiten. Es gibt kein Zurück mehr!«

Da ritten sie in Etzels Burg.

Die hunnischen Knechte drängten sich gaffend und rieten, wer von den Gästen wohl Hagen sei, der den starken Siegfried, den ersten Gemahl ihrer Königin, erschlagen, und sie sahen einen, der hatte eine Brust wie ein Berg und eine Faust wie ein Stein und zwei Augen aus Eis, sein Bart schien aus Stahl und Silber gewirkt, und sein Gang war der eines Elchs und seine Stimme die eines Löwen. Von diesem flüsterten sie scheu: Der ist es! Ein hunnischer Kämmerer eilte herbei, den Tross[28] zu versorgen; er empfing die Knechte mit freundlichen Scherzen und führte sie, wie es überall Brauch war, zu einer gesonderten Unterkunft in den Wirtschaftsflügel. Dankwart als Marschall[29] blieb bei ihnen. Da kam die schöne Kriemhild die Treppe herunter. Zwölf Königstöchter geleiteten sie.

Die Herrin lächelte ihren Gästen zu und verneigte sich vor ihnen und sprach: »Willkommen, Nibelungen, in Etzels Land!« Sie fasste Gunther und Gernot an der Hand, dann ging sie zu Giselher und küsste ihn auf den Mund, sonst küsste sie keinen und gab auch keinem anderen die Hand und redete auch keinen an. Da zog Hagen den Helmriemen fester. »Die Könige werden anders empfangen als ihre Mannen«, sagte er so laut, dass Kriemhild es hören musste, »da werden sich die Ritter wohl vorsehen müssen! Es herrschen seltsame Sitten auf dieser Burg!«

»Euch mag begrüßen, wer Euch gewogen ist«, entgegnete Kriemhild. »Was habt Ihr mir denn Besonderes mitgebracht, dass Ihr mir so willkommen sein solltet?«

»Oh«, sagte Hagen, »ich wusste nicht, dass die Geliebte des Hunnenkönigs auch die Gaben eines Ritters nicht verschmäht; ich wäre sonst in der Lage gewesen, ihr eine Kleinigkeit mitzubringen!«

»Ich frage nach dem Hort der Nibelungen«, erwiderte Kriemhild, »er ist mein Eigentum, und ich habe erwartet, dass Ihr ihn herschafft! Wo ist er?«

»Im Rhein, teure Frau Kriemhild, im Rhein«, erwiderte Hagen, »und dort mag er ruhn bis zum Jüngsten Gericht! Mein König hat es mir so befohlen, und ich habe gehorcht, wie es meine Pflicht war!«

---

28 das Gefolge
29 Haushofmeister

»Das konnte ich mir denken«, sagte Kriemhild, »dass Ihr mein Eigentum unterschlagt! Ihr wollt mich kränken, bis ich sterbe!«

»Ich habe meinen Schild mitgebracht, schöne Frau«, erwiderte Hagen, »und meinen Helm und meinen Harnisch und mein Schwert, deswegen habe ich nichts weiter bei mir!«

Da wandte sich Kriemhild den Rittern zu. »Der König erwartet euch im Festsaal, vielliebe Herren«, so sprach sie, »ich bitte euch, legt die Waffen ab, wie es Brauch ist, ich will sie wohl verwahren lassen!«

Da lachte Hagen. »Bemüht Euch nicht, edle Frau«, so rief er, »mein Vater hat mich gelehrt, dass Königinnen keine Bauernmägde sind und nicht Knechtdienste tun, zumindest nicht bei uns in Burgund! Ihr sollt Euch mit unserem Eisen nicht schleppen; ich will mein eigener Kämmerer sein!«

»Leg die Waffen ab, lieber Bruder«, sprach Kriemhild zu Gunther; der aber schüttelte den Kopf. Da dachte Kriemhild voll Wut, und man sah auf ihrem Gesicht, was sie dachte: Einer hat sie gewarnt! Wer hat das getan? Er soll auf der Stelle des Todes sein! Da fiel ihr Blick auf Dietrich von Bern, der sich in der Nähe der Könige aufhielt. Sie maß ihn hasserfüllt und er widerstand ihren Augen. Er dachte: Du Teufelin! Er dachte: Du wirst es nicht wagen, dich an mir zu vergreifen! Er dachte: Ja, ich hab es getan, ich werde es nicht leugnen! Da wusste Kriemhild, wer der Warner gewesen war, und sie wandte sich um und ging rasch aus dem Hof. Dietrich aber sprach zu den Königen: »Nun wisst ihr, was ihr wissen müsst! Kehrt um! Es ist noch Zeit!« Da sah König Etzel aus dem Fenster und erblickte Hagen: »Wer ist das«, fragte er, »ist das nicht Hagen, Aldrians Sohn? Ich erkenne ihn wohl! Wie lange schon sah ich ihn nicht! Sein Vater ist ein armer Teufel gewesen; ich habe ihn zum Ritter gemacht und ihn ausgestattet, und der kleine Hagen hat als Knappe an meinem Hof gespielt! Wie freue ich mich, ihn wiederzusehen! Warum zögert er so lange im Hof? Ich erwarte ihn doch! Vorwärts, lasst die Posaunen und Flöten ertönen! Wir haben liebe Gäste im Land!«

Wie Kriemhild Hagen schalt und wie er nicht vor ihr aufstand

Dô schieden sich die zwêne   recken lobelîch,
Hagene von Tronege   und ouch her Dietrîch
dô blihte über ahsel   der Guntheres man
nâch einem hergesellen,   den er vil schíeré gewan.

Die Burgunder begannen sich um die Könige zu sammeln. Zurückgebliebene fanden sich ein. Knechte und Knappen eilten geschäftig. Da noch etwas Zeit war, winkte Hagen seinem Gefährten, und die beiden gingen über den weiten, von Stimmen und Staunen durchrauschten Hof bis vor einen riesigen Palas. Dort setzten sie sich auf eine Bank. Es war dies vor Kriemhilds eigenem Saal, und Hagen wusste auch, dass dies Kriemhilds Palas war, vor dem sie sich setzten, denn er hatte ihren Weg durch den Hof genau verfolgt. Die Königin sah sie kommen und sich vor ihr Fenster setzen, und da zerbrach ihr Herz, und sie begann zu weinen. »Wer hat Euch gekränkt, vieledle Herrin«, sprachen die hunnischen Edlen, die bei ihr weilten. »Das hat Hagen getan«, entgegnete Kriemhild. Da sie diesen Namen aussprach, wehte plötzlich unsichtbarer Nebel durch Hof und Saal. »Er muss Euch Böses angetan haben«, hörte Kriemhild die Ritter reden, »wir haben Euch doch heute Morgen noch so fröhlich gesehen wie schon lange nicht mehr. Gebietet über uns und der Frechling überlebt diesen Tag nicht!« Da dachte die Königin, sich ihnen vor die Füße zu werfen, und da sie dies dachte, lag sie vor ihnen auf den Knien. Rächt mich an Hagen, edle hunnische Herren, so rief sie, tötet ihn, trefft ihn an Leben und Leib! Da dröhnten Posaunen und Hörner und bronzene Becken, und da standen die Herren, es waren ihrer sechzig, plötzlich im Harnisch da. Da sprach Kriemhild: Wie stellt ihr euch das vor? Ihr habt in eurem Leben noch nie in einem Kampf auf Leben und Tod gestanden. Außerdem sind dies Teufel und keine Menschen! Euer winziges Häuflein, so beflissen es auch für mich brennt, wird den beiden nicht schaden!

Da waren es im Nu sechzigtausend und alle standen gepanzert um Kriemhild im Kreis und trugen Schild und Schwert in den Händen. Dies alles geschah während eines Posaunenstoßes und die Schärfe der Schwerter zerschnitt die Töne zu schrillem Heulen. Da nickte Kriemhild und sagte: So wird es gut sein! Ich danke euch ob eures Eifers, ihr lieben hunnischen Herren! Doch zähmet ihn noch eine Weile; ich will gekrönt vor die Feinde treten und ihnen meine Klage ins Gesicht schreien; die Schuld allein wird sie niederzwingen! Dann mögt ihr sie töten! Da schlugen die Ritter die Schwerter an die Schilde. Kriemhild stand am Fenster auf die Brüstung gestützt. Posaunen und Flöten und Becken dröhnten. »Was ist Euch, Herrin«, fragten ihre Kämmerer, »was hat Euch so erschreckt? Ihr redet etwas von Hagen; wir haben Euch nicht verstanden!« Kriemhild wandte sich um. »Die vor meinem Fenster sitzen, sind meine Feinde, vieledle Herren«, so sprach sie. »Hört zu, wessen ich sie anklage, und was sie darauf erwidern! Hört genau jedes Wort. Nehmt eure Waffen!« Sie ging hinaus, und die sechzig Ritter folgten ihr.

Volker sah Kriemhild die Palastreppe herunterkommen. »Seht hin, Freund Hagen«, so sprach er, »da naht unsre Gastgeberin wieder. Für eines Königs Weib hat sie merkwürdig viel gewaffnete Krieger um sich! Sie haben auch so eine verdächtig breite Brust; ich glaube, sie tragen Harnische unter den Hemden. Wem soll das gelten?« – »Mir«, sagte Hagen, »versprecht Ihr mir Beistand?« – »Wie könnt Ihr da fragen«, entgegnete Volker, »selbst wenn Etzel gegen Euch stritte, würde ich für Euch das Schwert ziehn! Solange ich lebe, weiche ich keinen Fußbreit von Eurer Seite!« – »Gott lohne Euch dieses Wort«, rief Hagen, »nun mag kommen, was will! Nun mögen die hunnischen Herren sich vorsehn!«

Die Königin trat aus dem Palast. »Wir wollen aufstehen und uns vor ihr verneigen, wie es die Sitte gebietet«, schlug Volker vor, »wir ehren uns ja nur selbst, wenn wir höflich sind!« – »Ich bitte Euch, bleiben wir sitzen«, entgegnete Hagen, »sonst glauben diese Laffen noch, wir stünden aus Furcht vor ihnen auf! Ich habe auch gar keinen Grund, die dort für ihren Hass noch zu ehren! Mag sie mir zürnen, was kümmert's mich!« Da er dies sagte, legte Hagen sein Schwert über die Knie; es hatte einen goldenen Griff; sein Knauf war ein grasgrüner Jaspis und seine Scheide blutroter Samt. Kriemhild schrie auf, da sie das Schwert sah, denn es war Balmung. Volker hatte seinen Fiedelbogen über die Knie gelegt, und so saßen die beiden und dünkten sich erhaben, da sie so saßen. Die Königin stand und wartete, doch die beiden saßen und sahen in die Luft und schwiegen. Da trat die Königin vor sie hin. Sie stand so dicht vor den Sitzenden, dass sie ihnen fast auf die Füße trat.

»Sagt an, Herr Hagen«, so sprach sie, »wer hat Euch eigentlich eingeladen, dass Ihr Euch dermaßen aufspielt? Ich entsinne mich nicht, nach Euch gesandt zu haben. Ihr wisst genau, was Ihr mir angetan habt, wie könnt Ihr es da wagen, in dieses Land zu kommen?«

»Nach mir hat niemand gesandt«, entgegnete Hagen, »man hat drei Herren geladen, und da ich ihr Dienstmann bin, haben sie mich mitgenommen. Das ist nun einmal so!« Da sagte Kriemhild: »Redet nur weiter! Sagt nur, wie Ihr meinen Hass erwarbet!« Sie schrie: »Ihr habt meinen lieben Mann, Ihr habt Siegfried erschlagen!« −»Ja«, erwiderte Hagen und wiegte Balmung, »das habe ich getan. Ich bin Hagen und habe Siegfried erschlagen, und Ihr seid Kriemhild und habt meiner Königin Brünhild tödlichen Schimpf angetan. Keiner soll leugnen, was er getan hat. Die Schuld an Siegfrieds Tod will ich allein tragen und sie mag rächen, wer da kann. Gut, ich leugne es nicht: Ich habe Euch viel Leid zugefügt!«

Da wandte sich Kriemhild zu ihren Kriegern. »Ihr habt gehört, vieledle Herren, dass dieser Mann nichts abstreitet!«, sprach sie zu ihnen; »Was nun, ihr kühnen Streiter Etzels, ferner geschieht, das soll mich nicht kümmern!« Da blickten die hunnischen Ritter einander verlegen an und standen vor der Treppe und rührten sich nicht. Was schaust du mich denn so an?, dachte da der eine vom andren, und dieser dachte: Wer weiß, wie das alles zusammenhängt! Das sind alte Dinge, was soll gerade ich mich darum ereifern; und der Dritte dachte: Ich bin nicht des Teufels, mit diesen Recken zu streiten! – Ich kenne Hagen von früher, dachte ein Vierter, er hat schon als Junker zweiundzwanzig Schlachten geschlagen, er ist unverwundbar und nun trägt er außerdem noch Balmung! Nicht für einen Turm roten Goldes höbe ich meine Hand gegen die beiden, dachte der Fünfte. Die stolze Fremde will unser Verderben, dachte der Sechste. So blieben sie um Kriemhild geschart und hörten sie klagen und sagten kein Wort. Da sprach Volker zu Hagen: »Sie sinnen Verderben, das ist ganz klar. Wir sollten Etzel gradweg nach seinen Absichten fragen! Mit Besonnenheit lässt sich noch alles verhindern!« – »Ich stimme Euch zu, Volker«, erwiderte Hagen, »lasst uns zu Etzel gehen!«

Die Burgunder hatten sich geordnet; die drei Könige standen an ihrer Spitze und Hagen und Volker reihten sich ein. Posaunen schmetterten. Herr Dietrich von Bern ging den Gästen entgegen und verneigte sich vor König Gunther, und König Gunther senkte zum Dank vor Herrn Dietrich das Haupt, dann fasste jeder des anderen Hand. Mit gleichem Anstand wurde König Gernot von Irmfried von Thüringen begrüßt und König Giselher von Markgraf Rüdiger, der sich in der Zwischenzeit beim König gemeldet hatte. In ähnlicher Weise geleiteten je ein hunnischer Fürst einen burgundischen Edlen, nur Hagen und Volker schritten nebeneinander, und so hielten sie es, bis der Tod sie trennte.

Als König Gunther an der Seite Dietrichs den Saal betrat, sprang König Etzel von seinem Thron und eilte seinen Gästen entgegen, und er war doch der mächtigste Herrscher der Welt! »Willkommen in unserem Land, Herr Gunther«, so redete er, »willkommen, Herr Gernot, willkommen, Herr Giselher, willkommen, Herr Hagen und Herr Volker, willkommen all ihr Edlen und Ritter und Mannen aus dem mächtigen Reich Burgund! Ich und mein gutes Weib haben euch als Gäste zu uns gebeten, und wir sind glücklich, dass ihr unserem Wunsche so rasch gefolgt seid! Von Herzen willkommen, vieledle Herren, von Herzen willkommen! Wir wollen auf euer aller Gesundheit trinken!« Mit diesen Worten führte er König Gunther zu seinem Thronsitz und bot ihm mit eigenen Händen eine goldene Schale voll Maulbeerweins und seine Fürsten bewirteten gleichermaßen die burgundischen Herren. »Ich danke euch nochmals, dass ihr gekommen seid, liebe Ritter vom Rhein«, sprach König Etzel, »ihr habt mein gutes Weib aus großer Betrübnis erlöst! Sie ist vor Sehnsucht nach euch schier vergangen, und auch ich habe mich oft gefragt, ob wir euch etwa gekränkt haben, dass ihr uns so lange ferngeblieben seid! Nun aber freue ich mich, euch hier zu haben, und gar noch mit so vielen edlen Herren! Doch jetzt zu Tisch, wenn es euch recht ist! Was unser Land bietet, steht für euch bereit!«

Da gingen die Herren miteinander zur Tafel, und als es sich fügte, dass Rüdiger neben Etzel stand, sagte der Markgraf: »Mein Gebieter, Ihr freut Euch mit Recht über diese Gäste, meine lieben Verwandten! Sind es doch die Verwandten der Königin!«

»Gewiss«, sagte König Etzel, »gewiss!« Dann brachte der Trubel sie wieder auseinander.

Wie Hagen und Volker Wache hielten

Der tac der hete nu ende   und nâhet' in diu naht
die wegemüeden recken,   ir sórge si án vaht,
wánne si sólden ruowen   und an ir bette gân.
daz bereite Hagene;   ez wart in schiere kunt getán.

»Erlaubt uns jetzt, uns zurückzuziehen«, sprach König Gunther, als das Festmahl geendet war; »und habt die Güte, uns den Weg zum Schlafgemach zu weisen, wir sind sehr müde von der langen Reise! Morgen, wenn es Euch recht ist, wollen wir Euch wieder unsere Aufwartung machen!« – »Heute ist die Sonnwendnacht, da mögt ihr gut schlummern«, entgegnete König Etzel, »und morgen seid ihr uns willkommen, wann immer ihr mögt! Meine Burg und mein Land sind euer, nichts soll euch fehlen, gebietet über alles, wonach ihr begehrt! Und nun eine gute Ruh! Herr Gibich wird euch geleiten!« Da dankten ihm die Gäste und gingen über den Hof in die nahende Nacht.

Da die Burgunder zu ihrem Schlafgemach geführt wurden, drängten sich wieder neugierige Scharen um sie. »Was sind das alles für
Leute«, sprach da Volker zu Hagen, »wollen die sich etwa Ritter nennen? Ihrem Benehmen nach sind es Bauerntölpel!« Da er
dies sprach, stieß er einen der Hunnen zur Seite und sagte: »Aus
dem Weg, oder ich werde euch eins aufspielen! Was glotzt ihr
uns an! Habt ihr noch keine Helden gesehen? Platz da, Platz!« –
»Herr Volker rät euch im Guten, ihr Mannen Kriemhilds«, sprach
Hagen laut über die Schulter ins Dämmern, »wer etwas mit uns
zu verhandeln hat, mag dies morgen tun. Jetzt sind wir müde und
wollen schlafen. Nachts herrsche Frieden, so hielten es ehrliche
Männer zu allen Zeiten!«
Herr Gibich führte die Gäste in einen riesigen Saal, darin in langen Reihen die kostbarsten Bettlager standen, die man je gesehen.
Die Untergestelle waren aus schwarzem Holz und aus Elfenbein,
die Beschläge waren aus Gold, die Decken waren aus syrischer
Seide und mit leuchtenden roten und grünen Borten besetzt, die
Überdecken waren aus weißem Hermelin und schwarzem Zobel,
und die Kissen waren mit dem Flaum von Pfauen und Schwä-
nen gefüllt. So herrlich hatte noch kein König genächtigt. »Weh
uns«, rief da der junge Giselher, »dieses Lager ist viel zu wohlig!
Ich fürchte, aus diesem Schlaf wacht keiner mehr auf!« – »Ängs-
tigt euch nicht«, sprach da Hagen, »ich will für euch wachen und
morgen sorgt dann jeder wieder für sich!« Dieses Wort dankten
ihm alle, denn sie konnten vor Müdigkeit kaum noch stehen. Sie
warfen sich auf die Betten, und manche schliefen noch im Reisegewand ein, manche aber ließ die Ungewissheit nicht schlafen.
Hagen legte den Harnisch an. »Wenn es Euch recht ist, Freund
Hagen«, sprach Volker zu ihm, »leiste ich Euch bis zur Früh Ge-
sellschaft!« – »Das lohne Euch Gott im Himmel«, entgegnete
Hagen froh.
Sie legten ihr Kampfgewand an und traten vor das Tor. Volker
hatte seine Geige mitgenommen. Unter der Tür saß er auf einem
Stein und spielte, des Bogens so mächtig wie des Schwertes; die
Geigentöne durchrauschten den Saal gleich alten Sagen, und

als er dann sanfter zu spielen anhob, schloss manch sorgender Mann die Augen und die Heimatfernen schwebten in einem milden Traum.

Als alle schliefen, legte Volker die Geige zur Seite. Die Mitternacht war gekommen und aus dem Dunkel begannen Helme zu blitzen. »Lasst sie näher heran«, flüsterte Hagen, und da wichen die Schatten zurück. »Ich will sie stellen«, rief Volker grimmig, »ich mag es nicht leiden, wenn man nachts um die Tür schleicht!« – »Ich bitte Euch, lasst«, entgegnete Hagen, »sie locken Euch in einen Hinterhalt; ich müsste Euch beispringen, und das Haus stünde schutzlos!« – »Was schleicht ihr durchs Dunkel wie Ratten«, schrie Volker, »kommt her, wenn ihr etwas wollt!« – »Sie wollen den Schlaf morden«, sagte Hagen. Da blitzten die Helme nicht mehr, und das Dunkel war still. Kriemhild aber stand am Fenster und lauschte in die Sonnwendnacht, und da sie kein Klirren hörte, wurde sie traurig. Gleich Hagen schlief sie nicht mehr und saß und sann. Ich muss es anders beginnen, dachte sie.

Wie sie zur Kirche gingen

»*Mir kuolent sô ringe*«,   *sô sprach Volkêr*
»*jâ wœne diu naht uns welle   nu niht wern mér.*
ich kuisez von dem lufte,   ez ist viel schiere tac.«
dô wahten si der manigen,   der noch slâfende lac.

»Es wird bald dämmern«, sprach Volker, »mir wird das Eisen am Leib so kalt, und die Morgenluft dringt durch die Panzerringe!« Da gingen sie und weckten die Schläfer, und sie hatten Mühe mit ihnen, sie wach zu machen, denn sie waren alle sehr müde gewesen, und die Betten waren gut. Draußen läuteten Glocken. »Wir wollen zur Kirche gehen, wie wir es gewohnt sind«, riet Hagen. Da mischte sich seltsames Beckengedröhn und Getrommel und dazu ein ganz helles Klingeln ins Glockenhallen. »Was ist das?«, fragte Gunther erstaunt. »So rufen die Heiden zu ihren Gebeten«,

127

entgegnete Hagen. »Zu wem beten sie eigentlich?«, fragte Giselher. »Sie glauben an einen Gott, der ganz aus Feuer besteht«, berichtete Hagen, »dann beten sie auch ein Ei und ein Kind an!« – »Wie lächerlich!«, entgegnete Gernot. Die Klänge vermischten sich zu einem seltsamen Brausen. Die Herren sprangen von ihrem Lager und packten ihr Festgewand aus, doch Hagen riet ihnen ab. »In diesem Land braucht es eine andere Tracht, gute Herren«, so sprach er, »nehmt das Schwert in die Hand statt des Rosenkranzes, zieht Hemden aus Stahl an und tragt geschlossenen Kopfschmuck und wählt Mäntel aus, die man an die Wand lehnen kann! Heute müssen wir fechten, verlasst euch drauf! Nützt die Zeit in der Kirche, euch Gott zu befehlen; erforscht euer Gewissen und seid reuig ob eurer Sünden, ich rate euch wohl. Wir sollten es gleich tun und nicht erst die Messe abwarten, vielleicht bleibt uns dann keine Zeit mehr dazu! Und was die hunnischen Herren betrifft, so wollen wir unerschrocken auftreten, das zügelt sie am sichersten! Greift sie nicht ohne Not an, doch duldet nicht den geringsten Anschlag. Und nun ans Werk! Sei der Himmel uns gnädig!«

Da wandten die Helden ihre Seelen zu Gott, und jeder überdachte seine Sünden und erweckte Reue in sich, dass ihm alle Fehler verziehen seien beim Jüngsten Gericht. Dabei legten sie ihre Rüstungen an. Dann traten sie in Kampfreihen geordnet zum Burghof hinaus und schritten zum Münster. Hagen und Volker gingen als Vorhut. Da kamen von der anderen Seite des Hofes König Etzel und Königin Kriemhild, und ihnen folgte ein solch stattlicher Tross, dass der Staub bis zum Münsterturm wirbelte. Als Etzel seine Gäste in Waffen sah, fragte er erstaunt: »Was ist hier geschehen? Hat jemand meine lieben Gäste beleidigt? Bitte erforscht dies genau, dass ich's auf der Stelle kläre und Entschädigung leiste, wenn das gewünscht wird!« Zwei Herolde[30] eilten. »Es hat uns keiner gekränkt«, sagte ihnen Hagen, »es ist unsere Sitte, zur Sonnwende drei Tage lang in Waffen zu gehen! Wir würden, wollte jemand uns kränken, es eurem König schon berichten!« –

---

30 Ausrufer, Verkündiger

»Das ist seltsam«, sprach da der König zu Kriemhild, »Ihr habt mir nie etwas von solch einer Sitte gesagt, und ich habe auch anderswoher nie davon erfahren!« Da dachte Kriemhild, dass sie Etzel nicht misstrauisch machen dürfe, und sie sagte: »Ja, Herr, in Worms ist das so der Brauch!« Der Morgen leuchtete, und sie sah ihre Brüder, und sie sah Giselher, und da dachte sie einen Augenblick lang, von ihrer Rache zu lassen, allein ihr Stolz trug den Sieg davon. Der König hätte alles noch ändern können, wären ihm ihre Pläne erkennbar geworden; so aber ahnte er nichts und in seiner Gegenwart geschah auch nichts. Die Burgunder und die Christen des Hunnenhofs gingen zum Münster, und sie drängten hart aneinander durchs Tor in das Gotteshaus, da keiner dem anderen ausweichen wollte, doch außer Flüchen und Rippenstößen fiel weiter nichts vor, und auch nach der Messe gingen alle friedlich auseinander, sich zu den Kampfspielen im Burghof zu rüsten.

Die Königin saß mit ihren Frauen neben Etzel am Fenster des Thronsaals, dem Turnier zuzusehen. Dankwart und eine Schar Knechte führten die Rosse heran. »Lasst uns Buhurt[31] reiten und im Verband fechten«, rief der kühne Volker; »Kampfschar gegen Kampfschar, da beweisen sich Mut und Kunst am Klarsten!« Die Burgunder schwangen sich in die Sättel und warteten, dass sich die hunnischen Herren ihnen stellten, allein die standen oder schlenderten im Burghof herum und saßen nicht auf. Die Rosse der Nibelungen tänzelten vor Kampflust. Da baten die Amelungen Herrn Dietrich, gegen die vom Rhein anzutreten, allein der Berner verbot es ihnen aufs Strengste, und ein Gleiches tat für seine Fünfhundert Markgraf Rüdiger. Sie sahen, wie gereizt die Burgunder waren, und fürchteten zu Recht um ihre Ritter. Da sprengten aber schon Irmfried und Hawart mit je tausend Thüringern und Dänen in den Hof und brausten zum Buhurt auseinander, und nun hob ein solch kunstreiches Stechen und Schlagen an, dass jedem Zuschauer das Herz jauchzte. Die Speerhäfte splitterten und die Schildränder sprangen; die Wände des Saals

---

31 ein mittelalterliches Reiterkampfspiel

und des Palas bebten im Wirbel der Hufe; die Lanzen verdunkelten im Flug die Sonne und der helle Schweiß sprudelte den Pferden durch die Wappendecken und den Rittern durch die Spangen der Halsbeuge, doch beide Seiten hielten einander vom Morgen bis zum Mittag stand. Schließlich, als zur Tafel geblasen wurde, befahl der König, den Kampf unentschieden abzubrechen; die Herolde ritten in die Stechbahn[32], hier und dort schwangen sich schon die Helden aus dem Sattel, und die Knechte liefen herbei, sich um die Pferde zu kümmern, da stolzte ein hunnischer Junker, der wohl zu seiner Liebsten wollte und geckenhaft geputzt war, auf seinem Zelter über den Hof. Von seinem Helm wehten gelbe und violette und rosarote Bänder, seine Hüften waren geschnürt und seine Wangen geschminkt, und sein Tier trug Blüten im Mähnenhaar. Da sagte Volker zu Hagen: »Das ist so einer, der nächtlings auf Meucheljagd schleicht! Von all diesem Pack hat sich keiner zum Kampf gestellt und nun spreizen sie sich vor ihren Weibern wie Pfaue! Weiß Gott, der Hahn soll jetzt Federn lassen!« König Gunther versuchte, den Spielmann zu besänftigen. »Wir dürfen uns nicht die Blöße geben und anfangen«, sprach er, »wir machen es anderen leicht, uns die Schuld zuzuschieben!«

»Das mag wohl sein, wie es ist«, erwiderte Volker, »allein es juckt mich, und da muss ich mich kratzen! Der Buhurt ist noch nicht beendet; der König und sein Weib sitzen ja noch am Fenster und blasen kann jeder Musikant!« Mit diesen Worten legte er den Speer ein und ritt auf den Gecken los und durchstieß ihn, und hinter Volker sprengte Hagen mit seiner Schar und besetzte ausschwärmend im Nu den Hof. Der Junker stürzte kreischend in sein Blut, und als seine Leute das sahen, schrien sie Rache und schwangen sich auf die Pferde. »Buhurt!«, schrie Hagen und spornte sein Pferd, da aber war Etzel schon in den Burghof geeilt, und dem einen seiner Herrn griff er in die Zügel, einem zweiten riss er das Schwert und einem dritten den Ger[33] aus der Hand, und alle schalt er mit dröhnender Stimme. »Zurück, zurück, ihr Herren, es war keine böse Absicht!«, so rief er. »Herrn Volkers

32 Kampfplatz
33 Wurfspieß

130

Ross ist gestrauchelt, ich habe es genau gesehen! Zurück, zurück,
ihr Herren, es war ein Unfall! Der Buhurt ist beendet! Zurück,
zurück, der König gebietet! Wollt ihr nicht hören! Zurück, zurück, sage ich!«

Da murrten die Ritter, dass ihr König dem offenen Unrecht Recht
gab, und auch die Amelungen widersprachen laut. König Etzel geleitete seine Gäste zum Festmahl, Kriemhild aber wandte sich an
Dietrich von Bern. »Ich bitte Euch um Schutz und Hilfe«, sprach
sie, »ich bin in großer Bedrängnis! Hagen kränkt mich, Volker
kränkt meine Mannen, bin ich da als Königin wirklich wehrlos?«
Dietrich schwieg. »Lasst doch diese Pläne fahren, vieledle Herrin«, erwiderte statt seiner der greise Hildebrand, »ein jeder muss
sich einmal mit seinem Schicksal abfinden! Ihr denkt ja schon
daran, des Hortes wegen Eure Brüder zu töten! Ich leihe dazu
nicht mein Schwert!« Und König Dietrich sagte: »Bittet uns nicht
um Dienste, Königin, die wir Euch nicht erfüllen können! Eure
Verwandten sind voll Vertrauen auf unsere Treue ins Land gekommen; sie sind Gäste meines Königs, daran halte ich mich. Zu
einer ehrlosen Rache gebe ich mich nicht her!«

Da wandte sich Kriemhild an Bloedel, der noch im Hof stand,
und ihm versprach sie eine berühmte und überaus reiche Mark.
»Ach, meine hohe Herrin«, erwiderte Bloedel, »wie könnte ich es
wagen, meines Bruders Zorn auf mich zu ziehen! Er ist Euren Leuten ja so gewogen! Er würde es mir nie verzeihn, wenn ich etwas
gegen sie unternähme, und sein Zorn ist schrecklich!« – »Mein
Fürst«, erwiderte Kriemhild, »ist es nicht schändlich, wie schnö-
de Euer Bruder Euch behandelt, dass er derart an Euch mit Land
und Leuten geizt? Ich finde es empörend ungerecht! Es liegt mir
am Herzen, Euch als Gebieter eines würdigen Lehens zu wissen;
ich will Euch dazu auch so viel Gold geben, dass tausend Maul-
tiere es nicht wegschleppen können, und dazu auch die schönste
Jungfrau, denn ich weiß wohl, wen Ihr schon lange begehrt! Ihr
werdet mein Fürst sein und über viel Volk gebieten, und was das
Mädchen betrifft, so habe ich wohl die Macht, sie gefügig zu machen!« Da dachte Bloedel an die Jungfrau, die er schon lange be-

gehrte, und da wurde er blind vor Gierde und stimmte zu. »Geht
nun in den Saal zum Festmahl, vieledle Herrin«, sprach er zu
Kriemhild, »ich liefere Euch den Streit, den Ihr begehrt, und ich
werde Euch Hagen gefesselt vor Eure Füße legen! Er muss für
seine Untaten büßen, sonst kann ich nicht mehr ruhig leben!«
Da er dies gesprochen hatte, ging er zu seinen Kriegern und hieß
sie sich wappnen. Es waren ihrer dreitausend. Kriemhild ging in
den Festsaal und sie führte den Knaben Ortlieb an ihrer Hand.
Er solle, so dachte sie, sehen, wie der Kopf ihres Feindes falle.
Und sie dachte auch, ohne dass sie es wusste: Wenn Bloedel keinen Streit vom Zaun brechen kann, wird der Knabe dazu am sichersten taugen. Als Etzel sein Söhnlein erblickte, sprach er stolz
zu Gunther: »Seht da, liebster Bruder, hier kommt mein eigen
Fleisch und Blut! Ist es nicht stattlich? Gedeiht es nicht prächtig?
Es ist ja auch Euer Fleisch und Blut, lieber Schwager, und wenn er
nach Eurer Sippe schlägt, wird er ein kühner Held, und ich gebe
ihm zwölf Königreiche, doch bis dahin könnte er als Junker gut in
Eurem Dienste stehen! Ich bitte Euch drum von Herzen: Nehmt
den Prinzen als lebendiges Pfand meiner Zuneigung zu Euch mit
an den Rhein! Ich gebe ihn voll Vertrauen in Eure Hände! Erzieht
ihn zu einem ehrlichen Ritter nach Eurem Vorbild, und wenn
er erwachsen ist, wird er Euch gegen jeglichen Feind zur Seite
stehen!« Dies alles sagte der König, damit Kriemhild es höre; er
ahnte wohl, dass sie etwas plante, und er ahnte auch, dass es Arges
sein müsse, doch er ahnte nicht, wie arg es war.

König Gunther wollte sich bedanken, wie es die Sitte gebot, allein Hagen kam ihm zuvor und sagte: »Ich glaube nicht, dass der
Knabe mit uns nach Worms ziehen wird; er ist von zu viel Tod
umzingelt!«

Da verstummte Etzel voll Traurigkeit und sein Herz war zer-
schnitten. Der Tafelrunde verschlug es den Atem und auch die
Könige von Burgund wurden blass vor Zorn. Sie dachten, nichts
Schlimmeres könne geschehen als solche Rede, und dabei wusste
noch keiner, was zu dieser Stunde schon geschah.

Wie Dankwart Bloedel erschlug

Blœdelînes recken   die wâren alle gar.
mit tûsent halsbergen   huoben si sich dar
dâ Dancwart mit den knehten   ob dem tische saz.
dâ huop sich under helden   der aller grœzéste haz.   5

Zu dieser Stunde saß Dankwart mit den Knechten zu Tisch,
da trat Bloedel gewappnet in den Saal. Dankwart empfing ihn
ohne Arg und fragte freundlich nach seinen Wünschen. »Spare
deine Worte«, entgegnete Bloedel, »dein Bruder hat Siegfried erschlagen, das sollst du nun büßen und andre mit dir!« Da dach-   10
te Dankwart, Herr Bloedel habe zu viel Met getrunken und sei
ob der Stecherei im Hofe erhitzt. Er wollte ihn beruhigen und
zugleich die Klarheit seines Verstandes prüfen, darum sprach er:
»Nicht doch, Herr Bloedel, bei mir seid Ihr an den Unrechten gekommen; ich war doch noch ein Säugling, da Siegfried erschlagen   15
ward!« – »Das ist mir gleich, Unseliger«, erwiderte Bloedel, »dein
Bruder Hagen hat es getan und auch Gunther ist dein Verwand-
ter, drum steht dein Leben für sie zum Pfand!« – »Nur schade,
dass ich mich vor Euch klein gemacht habe«, sagte darauf Dankwart, »es war zu Eurem Nutzen gedacht, wenn Ihr es aber nicht   20
anders wollt, so soll's denn sein!«. Damit sprang er auf und schlug
Bloedel mit einem Streich den Kopf ab. »Das bringt der als Morgengabe, die Euch gesandt hat!«, rief Dankwart. Nun drangen
Bloedels Ritter in den Saal.
»Zum Kampf, Männer«, rief Dankwart, »erwartet keine Gnade   25
und wehrt euch eurer Haut! Nehmt die Schemel als Schwerter
und Schilde!« Das taten die Knechte, und sie schlugen mit Bän-
ken und Stühlen und Krügen fünfhundert Angreifer tot, und
sie waren von deren Blut rot und nass. Das Blut schrie über den
Hof, dass die Knechte Dankwarts ihre Gastgeber mordeten, und   30
darauf stürmten zweitausend hunnische Ritter in den Saal und
machten alle Knechte nieder, das waren neuntausend. Bis zu Etzel
hatte das Blut nicht geschrien. Die Leichen türmten sich über den

Tischen; Dankwart allein hielt noch stand, doch auch er drohte zu erliegen. Da schrie er in seiner Not: »Mein Bruder Hagen,
wenn ich nur einen Boten hätte, dass du mir zu Hilfe eiltest!« Da
riefen die Hunnen: »Du selbst sollst Bote sein! Wir werden ihm
deinen Leichnam vor die Füße werfen! Du hast unserm König
schon viel zu viel Schlechtes getan!« Da überkam Dankwart der
Mut der Verzweiflung, und er schlug sich durch seine Feinde und
schlug sich durch den Hof und schlug sich die Treppe hinauf und
schlug sich noch durch die Speiseträger, die vor der Tür standen.
So kam er bis vor den Festsaal. Das war ein Wunder, doch solche
Wunder geschehen, wenn Recken gegen Recken kämpfen! Glaubt
es getrost!

Wie die Burgunder mit den Hunnen kämpften

Álso der küene Dancwart   únder di tür getrat,
daz Etzeln gesinde   er hôher wîchen bat.
mit bluote was berunnen   allez sîn gewant;
ein vil starkez wâfén   daz truog er blôz an sîner hant.

Da Dankwart nass von Blut und keuchend und mit dem trie-
fenden Schwert in der Hand unter der Tür erschien, rief Hagen:
»Bruder, wer hat das getan?« – »Bloedel«, brüllte Dankwart, »Bloedel mit seinen Hunnen!« Sein Brüllen drang bis in den letzten
Winkel des Saals und begrub alle Gespräche: »Ich klage Euch
meine Not, Bruder«, schrie Dankwart, »die treuen Knechte liegen erschlagen, und Bloedel und zweitausend Hunnen auch!« –
»So hüte die Tür«, rief Hagen, »dass uns keiner unsrer Wirte ent-
wische, ich werde ihren König zur Rede stellen!« Dankwart stand
breit in der Tür. Hagen erhob sich. »Ich staune über die Bestür-
zung im Saal hier«, so sprach er, »ich weiß längst, dass Kriemhild
ihr Leid nicht vergessen will! Trinken wir also zum Gedächtnis
der Toten und opfern wir ihnen des Königs Wein. Der junge Vogt
wird den Anfang machen!«

Er zog das Schwert und köpfte das Kind und der Kopf sprang in Kriemhilds Schoß. Dann köpfte Hagen den Hofmeister des Prinzen. Dann sah er Herrn Wärbel an Etzels Tisch stehen, und da überkam ihn rasender Zorn, und er schlug dem Spielmann die Hand samt dem Geigensteg ab. »Meine Hand, Herr Hagen«, schrie Wärbel, »was habt Ihr getan! Wie soll ich in Zukunft noch spielen, Herr Hagen! Ich war doch immer aufrichtig zu Euch!« Allein Hagen hörte das nicht mehr, und er zählte auch jetzt nicht mehr, wie viele er erschlug, und ihm zur Seite stand Volker und sein Bogen war das Schwert, und seine Geige lebendiges Fleisch. Die drei Könige wollten noch Frieden stiften, doch als die hunnischen Recken plötzlich im Harnisch standen und Schwerter in ihren Händen blitzten, warfen auch sie sich in den Kampf, und dann schwankte der Palas im tausendfachen Krachen des Stahls. Die Ritter, die draußen im Hof weilten, stürmten über die Treppe ihren Freunden zu Hilfe, und sie hätten Dankwart gewiss überwältigt, wäre nicht Volker zu ihm gedrungen und hätte sich Rücken an Rücken zu ihm gestellt. Volker schlug nach außen, Dankwart nach innen, und als Hagen dies sah, warf er den Schild auf den Rücken und wütete ungedeckt unter seinen Feinden, und alle Burgunder taten es ihm gleich. Sie waren tausend; die Hunnen fünftausend und dazu die Ritter der anderen zwölf Könige, das waren noch einmal siebentausend, jedoch von denen kämpfte keiner gegen Gunthers Leute und Gunther kämpfte nicht gegen sie.

Dietrich von Bern war auf eine Bank gestiegen, um zu spähen, ob noch eine Wende zum Frieden möglich sei, da warf sich Kriemhild ihm vor die Füße und umschlang seine Knie. »Rettet mich, edler Ritter«, schrie sie, »Hagen will mich umbringen! Schafft mich aus diesem Saal, ich flehe Euch an!« Auch Etzel saß in Todesangst. Er war kein Mann des Schwerts. »Wie sollte ich Euch wohl helfen können, Herrin«, entgegnete Dietrich, »die Burgunder sind toll vor Zorn, ich kann nichts tun! Ich bange um mein eigenes Volk!« – »Helft mir, Herr Dietrich, helft mir, helft mir, helft mir, helft mir!«, wimmerte die Königin und klammerte sich an sein Gewand und hing sich an ihn und wimmerte fort. Da brüllte Dietrich, sie möchten einhalten, und seine Stimme dröhnte wie ein Wisenthorn und sie überdröhnte sechstausend Schwerter. Da fürchtete König Gunther, Herrn Dietrich wäre von einem Burgunder im Eifer ein Unrecht geschehen, und da schrie er, einzuhalten und mit ihm schrien Gernot und Giselher und dann auch Hagen. Da erstarrte der Kampf.

»Gebt mir und den Meinen den Weg frei, Gunther«, rief König Dietrich, »nie habe ich Euch etwas zu Leide getan!« Da schrie Wolfhart: »Was bittet Ihr, Herr? Haben wir nicht Waffen?« – »Bist du des Teufels?«, brüllte Dietrich, da sagte Gunther: »Ihr mögt mit Euren Leuten gern abziehen, Dietrich, und Ihr mögt auch aus dem Saal führen, wen Ihr sonst noch wollt, nur unsere Feinde müssen bleiben!« Nun erwirkten auch die anderen Könige für sich und ihre Krieger freien Abzug, und Dietrich legte seinen Arm um Kriemhild und Etzel und führte sie aus dem Saal, und ihm folgten seine sechshundert Amelungen und ihnen die anderen Herren und Völker, darunter auch Markgraf Rüdiger und die Leute von Pöchlarn. Ein hunnischer Ritter wollte mit Rüdigers Schar durch die Tür schlüpfen, allein Volker erspähte ihn und streckte ihn mit einem Lanzenstoß nieder. Sein Kopf fiel vor Etzels Füße. Da wandte sich der Beherrscher der Welt schaudernd ab und rief: »Weh mir ob solcher Gäste und solcher Not! Soll ich alle meine Recken erschlagen sehen? Weh solchem Fest!« Seine letzten Worte jedoch verloren sich schon wieder im Getöse, und dann erschlugen die Burgunder alle Hunnen im Saal, so tapfer die sich auch wehrten. Dann legten sie die Schwerter aus der Hand.

Wie sie die Toten aus dem Saal warfen

Die herren nâch ir müede   sâzen dô zetal.
Volkér unde Hagene   giengen für den sal.
sich leinten über schilde   die übermüeten man.
dô wart dâ rede vil spœhe   von iu bédén getân.   5

Die erschöpften Burgunder setzten sich auf die Bänke. Volker
und Hagen traten vor das Haus. Der Hof war leer. Da hatten die
beiden plötzlich den Drang, große Dinge zu sagen. Sie standen im
Hof und redeten in den Wind und überboten einander mit ge-
waltigen Worten. Die Recken im Saal aber waren müde und be-   10
gannen zu schlafen.
Da rief Giselher. »Steht auf! Schafft erst die Toten aus dem Saal,
ehe ihr ausruht! Bald stürmen die Hunnen wieder, dann brauchen wir Platz.« – »Das ist ein guter Rat«, sagte Hagen zu Volker,
»der junge Herr hat das Zeug zu einem tüchtigen König! Bur-   15
gund wird blühn unter seinem Zepter!«
Die Burgunder standen auf und warfen die Hunnen aus dem
Saal. Es waren ihrer sechstausend, und nicht alle waren tot, allein die Burgunder warfen auch die hinaus, die noch lebten, das
waren Verwundete und auch solche, die sich tot gestellt hatten,   20
um dem Gemetzel zu entgehen. Die stürzten sich nun auf den
Steinen in den wirklichen Tod.
Der Hof um den Königspalas lag mit Leichen überhäuft. Die Hunnen standen in den Torbögen und jammerten laut und streuten
sich Sand auf den Kopf und rauften die Haare und zerrissen ihre   25
Gewänder über der Brust. Da sagte Volker: »Sie flennen wie Wei-
ber, statt ihre Toten zu bergen!« Ein hunnischer Markgraf hörte
das und trat in den freien Hof und lud sich einen Leichnam, es
war der seines Neffen, auf die Schulter, da erschoss ihn der kühne
Spielmann mit einem Pfeil. Die Hunnen schrien vor Wut, doch   30
Hagen rief: »Ihr könnt nichts als schreien! Nicht einmal euer
König wagt zu kämpfen!« Da dachte Etzel, dass er Hagen dies freche Wort niemals vergessen werde, und er ließ sich sein Kampfge-

wand bringen, doch Kriemhild sprach. »Seid Ihr toll, Herr? Wie lange seid Ihr nicht mehr im Kampf gestanden! Befehlt lieber, Schilde voll Gold heranzuschaffen, die Helden zu einem neuen Gang anzufeuern!« Doch Etzel schüttelte den Kopf und legte den Harnisch an und fasste nach dem Schild, da zog ihn Kriemhild am Schildriemen in den Palas zurück. Darüber spottete Hagen sehr.

Er schrie: »Wofür wolltest du eigentlich kämpfen, König Etzel? Ich wusste ja gar nicht, dass du Siegfrieds Sippe entstammest! Kriemhild war Siegfrieds Bettschatz gewesen, bevor sie zu dir kroch! Die mag einen Grund zur Rache haben. Doch weswegen stellst du, feiger König, mir eigentlich nach?«

Da dachte Etzel, dass er den Burgundern dies freche Wort niemals vergessen werde. Er dachte: Sie haben meinen einzigen Sohn erschlagen. Sie sind als meine Gäste ins Land gekommen und sie haben meinen einzigen Sohn erschlagen! Das werde ich ihnen niemals verzeihen!

Kriemhild schrie: »Wer mir Hagen von Tronje erschlüge und seinen Kopf hier vor mir in den Staub würfe, wahrhaftig, dem füllte ich Etzels Schild bis zum Rande mit rotem Gold und gäbe ihm die Hälfte meiner Lande und Burgen!«

»Nun werden sie ja wohl kommen«, höhnte Volker. »Für solch einen Preis sollten sie sich eigentlich mutiger zeigen! Im Frieden haben sie ihres Königs Brot gegessen, und nun da es ernst wird, lassen sie ihn im Stich! Ewige Schande über sie alle! Wahrhaftig, wir hätten einen anderen Gegner verdient!«

Wie Iring erschlagen wurde

Dô rief von Tenemarke   der marcgrâve Irinc:
»ich hân ûf êre lâzen   nu lange mîniu dinc
und hân in volkes stürmen   des besten vil getân.
nu brinc mir mîn gewœfen: jâ ich wil Hagenen bestân.«   5

Da rief Markgraf Iring, der Lothringer: »Bringt mir meine Waffen! Ich will allein mit Hagen kämpfen! Der Sinn meines Lebens ist immer der Ruhm gewesen, ich will ihm auch jetzt treu bleiben!« – »Ich rate es Euch ab«, sprach Hagen, »doch ich bin bereit. Nur sorgt, dass kein Hunne mit Euch in den Saal kommt!« – »Das   10
soll mich nicht hindern«, rief Iring, »kämpfen wir lieber, anstatt noch lange herumzureden!«
Er kam gewaffnet über den Hof, doch Irmfried von Thüringen und Hawart von Dänemark und tausend ihrer Krieger wollten dem kühnen Lothringer helfen und folgten ihm. Da spottete Vol-   15
ker, was für eine seltsame Art von Zweikampf das sei, und er hieß Iring einen elenden Lügner. Der Markgraf flehte die Krieger und Könige an, sein ehrliches Wort nicht zu schänden und ihn allein gegen Hagen kämpfen zu lassen. »Das ist Euer sicherer Tod, Herr Iring«, sagte der Thüringer. »Sei's drum«, erwiderte Iring, »jetzt   20
kann ich nicht mehr zurück!«
Da traten die Helden allein gegeneinander an.
Nachdem sie ihre Speere geschleudert hatten, packten sie ihre Schwerter und schlugen lange Zeit aufeinander ein. Plötzlich aber ließ Iring von Hagen und sprang Volker an, und als der den uner-   25
warteten Schlag mit dem Schild abfing, überfiel Iring Gunther, und als er auch Gunther nicht treffen konnte und gleich danach Gernot auch nicht, berannte er, einen um den andern, vier rheinische Ritter und focht sie in kürzester Frist zu Tod. Da rief, denn es waren seine Leute, der junge Giselher zornig: »Das bezahlt Ihr   30
mir!« Er warf sich über Iring und schlug ihn mit dem Schwert zu Boden, jedoch der Lothringer war unverwundet und blieb ein paar Atemzüge lang liegen, um Kraft zu schöpfen, dann sprang

er mit einem Satz vom Rücken auf die Füße und schnellte wie
ein Pfeil gegen Hagen, der unter dem Tor stand, und stieß ihm
im Sprung das Schwert durch den Helmhut und zerschlitzte ihn
von der Schläfe zum Kinn. Das Schwert, das solches vollbrachte,
hieß Waske. Als Hagen sein Blut fließen fühlte, schlug er in ziel-
losem Rasen auf Iring ein, und da entrann ihm der wendige Gegner über die Treppe durch den Hof in die Burg.

»O du ruhmgekrönter Recke, du Gottes Schild und Schwert«, rief
Kriemhild ihm zu, »wie hast du mein Herz erfreut, da ich Hagen
verwundet sehe!« Sie nahm Iring mit eigenen Händen den Schild
und Helm ab und küsste ihn. Iring stellte sich in den Windzug
und öffnete seinen Panzer, um sich abzukühlen. Da rief Hagen
ihm zu: »Wollt Ihr Euch wirklich dieser Schramme so rühmen,
die Ihr mir zugefügt habt, Iring? Sie macht mich nur noch wü-
tender, Euch zu treffen! Kommt wieder herauf, wenn Ihr's wagt,
dann will ich Euch einen kühnen Recken nennen!«

Da bat Iring seine Freunde, ihm ein neues Kampfgewand und
einen neuen Schild und einen neuen Speer zu bringen, und er
trat trotz ihrer mahnenden Bitten ein zweites Mal gegen Hagen
an. Feuriger Wind lohte, da die Schwerter sie nun zerfetzten, um
die dröhnenden Schilde, und Funken prasselten über der Helden heißes Gesicht. Hagen war furchtbar ergrimmt; er zerschnitt
mit vielen schnellen Schlägen dem tapferen Lothringer Schild
und Brünne und brachte ihm viele Wunden bei, und als Iring
die Schildstellung wechselte, packte Hagen einen Speer vor seinen Füßen und warf ihn dem Gegner durch den Helm. Iring floh;
der Schaft wippte aus seinem Schädel; die herbeieilenden Freunde fingen den Taumelnden auf und betteten ihn auf eine Bank
im Palas und rissen ihm übereifrig, ehe sie den Helm noch ab-
gebunden hatten, den Speer aus der Wunde. Da hatte Iring nur
noch wenige Augenblicke zu leben, und als Kriemhild sich wei-
nend über ihn warf, sprach er zu ihr: »Klagt nicht, herrliche Frau;
was ich für Euch tun konnte, das habe ich treulich getan! Nun ist
von mir kein Dienst mehr zu erwarten! Wie schade, dass ich Euch
verlassen muss!« Und zu seinen Leuten sagte Iring: »Ihr werdet

nichts von Kriemhilds Schätzen erwerben! Lasst euch nicht verführen, um rotes Gold in den sicheren Tod zu gehen! Hagen ist furchtbar. Seid klüger als ich!«

Als Iring dies gesprochen hatte, starb er. Da stürmten seine Ritter und König Irmfried und König Hawart und deren Ritter gegen die Burg. Die Könige rannten alle voran, und Irmfried stürzte sich auf Volker, und Hawart auf Hagen, und Volker erschlug den Irmfried, und Hagen den Hawart. »Macht das Tor auf«, rief Volker, »lasst sie alle herein!« Da stürmten die Recken in den Saal, das waren ihrer tausendundvier, und sie wurden alle erschlagen, und ihr Blut strömte aus den Abflussrohren des Palas in den Rinnstein wie Regen nach einem Wolkenbruch. Da klagten König Etzel und sein Weib, und die Frauen und Bräute der Gefallenen rangen die Hände vor Schmerz, und der Tod sah ihnen zu und spreizte sich. Das Gold in Etzels Schild aber lag auf dem Hof und glänzte zwischen den langsam erkaltenden Hügeln.

Wie die Königin den Saal niederbrennen ließ

»Nu bindet ab die helme«,   sprach Hagen der degen.
»ich und mîn geselle   wir suln iuwer pflegen.
und wellent iz noch versuochen   zuo z'uns die Etzeln man,
sô warne ich mîne herren   so ich áller schieréste kan.«

»Nun bindet die Helme ab und ruht«, sprach Hagen, »Volker und ich werden Wache stehen und euch rechtzeitig warnen, falls die Hunnen noch einmal angreifen!« Da legten die Burgunder die Waffen aus der Hand und setzten sich auf die Erschlagenen. An diesem Tag boten Etzel und Kriemhild noch zwanzigtausend Hunnen zum Angriff auf und die Burgunder verteidigten das Tor bis zur Nacht. Dann zogen sich die Hunnen zurück.

Die Burgunder waren völlig erschöpft und bereit zum Verhandeln. Sie meinten, ein schneller Tod sei besser als dies maßlose Leiden. Sie waren gewillt, um Frieden zu bitten.

Die drei Könige traten unter das Tor und verlangten nach Etzel. Ihr Harnisch war schwarz und rot von Blut und ihr Haar war weiß geworden an diesem Tag, auch das Haar des jungen Giselher. Etzel kam mit Kriemhild. »Was wollt ihr«, rief Etzel, »hofft ihr auf Frieden? Dafür ist es zu spät! Ihr habt meinen Sohn erschlagen! Das werde ich euch nimmer verzeihn!«

»Dazu hat uns die Not gezwungen«, entgegnete Gunther. »Wir sind voll Vertrauen zu dir gereist. Wir haben euch nichts Böses getan. Eure Leute haben meine Knechte erschlagen!« Und der junge Giselher sprach: »Womit habe ich euch erzürnt, ihr Ritter Etzels, die ihr noch lebt? Ich bin als Freund gekommen, arglos und voll guten Sinns!« Da antworteten sie: »Deine Güte hat die Burg mit Leichen gefüllt! Wäret ihr doch in Worms geblieben! Du und deine Brüder, ihr habt unser Land entvölkert!« Da bat König Gunther, dass sie sich verglichen. Da sagte Etzel: »Wie könnten wir vergleichen, was nicht zu vergleichen ist. Dein Leid und mein Leid, das sind zwei verschiedene Dinge! Ihr habt meinen Sohn erschlagen! Von euch sieht keiner die Heimat mehr wieder!«

Da sagte Gernot: »So tut uns nur eine Barmherzigkeit, König Etzel! Wir haben den Tag lang gefochten und sind erschöpft. Der Saal ist stickig von Blutdunst. Lasst uns hinaus in den Hof. Im Saal kann man nicht mehr atmen. Wir wollen im Freien zu Ende kämpfen. Wir sind müde und euer sind noch Tausende. Macht also rasch ein Ende. Darum bitten wir!«

Diese Bitte schien Etzel und seinen Rittern billig, und der König neigte auch schon den Kopf, sie zu gewähren, allein Kriemhild rief rasch: »O nein, mein Gemahl, mein lieber, getreuer, o nein, ihr tapferen Herren, hört nicht darauf! Die Mörder würden euch alle umbringen, wenn ihr sie an die frische Luft ließet und sie sich abkühlen könnten! Gewährt ihnen nichts und traut niemand von ihnen!« – »O du meine schöne Schwester«, erwiderte Giselher, »das hatte ich nicht erwartet, als ich deiner Einladung folgte! Ich war dir immer treu und habe dir nie ein Leid angetan! Darum will ich dich um Gnade bitten! Rette uns! Ich bitte dich drum!« – »Ich kenne keine Gnade, Bruder«, erwiderte Kriemhild, »ihr habt

mir ja auch keine Gnade gewährt! Nun müsst ihr Hagens Missetat büßen!« Dann aber sprach sie:

»Liefert mir Hagen aus, und ich will's bedenken, ob ich euch vielleicht schonen könnte; wir sind ja einer Mutter Kind! Gebt Hagen
heraus, das ist meine Bedingung!« – »Das verhüte Gott«, sprach
Gernot, »dass wir ehrlos werden!« Und Giselher sagte: »Wir müssen alle einmal sterben! Hier verrät keiner den Freund!« Da schrie
Kriemhild: »Genug geredet! Zündet den Saal an! Lasst niemand
ins Freie!« Da trieben die Hunnen mit Speeren und Pfeilen die
Könige in den Saal zurück und steckten das Haus an. Das brannte im Nu und die Helden schrien wild aus dem Feuer. Da lachte
Kriemhild.

Die Flammen sausten im Wind. Da sprach ein Ritter: »Ich sterbe vor Durst!« – »So trinkt!«, sagte Hagen. Da sah der Ritter das
rinnende Blut, und er trank. So kamen sie über den Dursttod. Da
wollte einem vor dem anderen grauen mit ihren blutigen Mäu-
lern, doch da regnete das Feuer auf sie, und die verglühenden Balken begannen zu stürzen. »Stellt euch an die Wand«, rief Hagen,
»und haltet die Schilde über den Kopf! Achtet, dass die Riemen
nicht brennen!« Die glühenden Trümmer zischten im Blut. Den
Helden drohte, im Rauch zu ersticken, da stürzte die Decke ein;
Schutt prasselte auf die Panzer, doch nun kam die Frische der
Nacht in den Saal, und über den Helmen leuchteten die Sterne durch das fallende Feuer. Langsam graute der Morgen in den
schwelenden Brandschein. Da sagte Giselher: »Nun werden wir
wieder kämpfen müssen!«

Die Hunnen wähnten die Feinde verbrannt, allein als der Tag heller wurde, sahen sie noch sechshundert Burgunder aufrecht im
Saal stehen, und Hagen und Volker standen wieder unter dem
Tor. Kriemhild heulte vor Wut. Sie hieß Schilde um Schilde voll
roten Golds in den Hof schleppen und legte selbst Hand an und
schleppte keuchend wie eine Magd das Gold in den Hof und versprach ihren ganzen Reichtum dem einen, der Hagen erschlage.
Das Gold übertürmte die Toten, und zwischen den goldenen Bergen wanden sich Gassen, und die rannte Kriemhild hinauf und

hinab und schrie, und ihre Lippen waren vom Schreien blutig wie die der burgundischen Ritter vom Trinken. Sie brachte ein neues Heer von zwölfhundert Mann auf die Beine, das schleuderte seine Speere in den verkohlten Saal, dann versuchte es wieder die Treppe zu stürmen. Es kämpfte den Morgen lang um das Tor, doch es wurden alle erschlagen, die stürmten, und danach übertürmten die Toten das Gold.

Wie Rüdiger erschlagen wurde

Ez héten die éllénden   wider mórgen guot getân.
wíne der Gótelinde   kom ze hove gegân.
dô sach er beidenthalben   diu grœzlîchen sêr;
daz weinte innecliîche   der vil getriuwe Rüedegêr.

An diesem Morgen ging Rüdiger zu Hof, und als er das Leid beider Seiten sah, musste er weinen. Er suchte Herrn Dietrich von Bern auf, um zu erkunden, ob noch eine Schicksalswende zu erwirken sei.

»Müssen wir das Widersinnige ansehen, ohne etwas zu tun«, sprach er zu Dietrich, »lasst uns beide den König zu Füßen fallen und ihn um Gnade für unsere Freunde anflehen!« – »Dazu ist es zu spät«, erwiderte Dietrich. »König Etzel lässt sich auf nichts mehr ein; Hagen hat ihn zu schimpflich gekränkt. Wir können nur versuchen, uns herauszuhalten; das tue ich, und ich rate auch Euch, dies zu tun!« Da ging Rüdiger allein in die Burg.

Da er auf den König wartete und sein Angesicht von Tränen nass war, erblickte ihn ein hunnischer Ritter. »Seht doch diesen Helden«, so sprach der zu Kriemhild, »wie er dasteht und flennt! König Etzel hat ihn mit Gnaden überschüttet, er hat ihm Burgen und Lande und Lehen ohne Zahl geschenkt, doch gelohnt hat ihm dies der Edle noch mit keinem Schwertstreich, und man nennt ihn doch die Zierde der Ritterschaft! Ich danke für so eine Zierde! Es scheint ihn ganz kalt zu lassen, was uns hier geschieht, wenn er nur weiter das Fett abschöpft! Man redet auch Wunderdinge von seiner Kühnheit, doch was er uns davon zeigt, ist wahrhaftig schmählich!«

Rüdiger hörte diese Rede und ein rasender Zorn überwältigte ihn. Er trat auf den Hunnen zu und schlug ihm so heftig mit der Faust ins Gesicht, dass der Schmäher tot hinfiel, und dabei rief der Markgraf, er verbitte sich den Vorwurf der Feigheit, denn er läge schon längst mit den Feinden des Königs im Kampf, hätte er sie nicht ins Land geführt und ihnen Schutzgeleit gegeben. Da kam Etzel. Er sah den toten Ritter und sagte: »Markgraf, womit haben wir verdient, dass Ihr das Leid Eures Königs noch mehrt?«

Und Kriemhild sprach: »Haben wir nicht schon Tote genug zu beklagen? Man nennt Euch den redlichen Rüdiger – nun, redlicher Mann, habt Ihr Eure Eide vergessen? Den Eid, mit dem Ihr dem König Vasallentreue geschworen wie den Eid, den Ihr mir in Worms in die Hand geleistet? Ihr habt mir gelobt, jede Kränkung zu rächen. Was gelten Euch diese Schwüre noch, Redlicher?«

Da wurde Rüdiger blass und er sprach zu Etzel: »So löst mich, König, aus meinen Pflichten! Nehmt alles zurück, was Ihr mir gegeben, die Burg und die Geschenke und das Gold und das Lehen, nehmt meinen ganzen Besitz und lasst mich mit meinem Weib wieder zu Fuß in die Fremde ziehen!« – »Was hülfe mir das«, sprach Etzel, »wenn ich nun auch dich noch verlöre? Du hast deine Eide nicht für genehme Zeiten geschworen! Dein König und deine Königin sind in Not und sie rufen nach dir!« Er kniete vor Rüdiger nieder und auch die Königin kniete vor Rüdiger. »Wie könnte ich Euch helfen«, sprach Rüdiger, »ich habe doch die Unseligen als Gäste bei mir aufgenommen, ich habe sie bewirtet und beherbergt, ich habe Treuegeschenke mit ihnen getauscht und Giselher mein einziges Kind vermählt – wie könnte ich da gegen sie das Schwert erheben!« – »Ihr habt geschworen«, sprach Kriemhild, »ich kann Euch nicht lösen!« Da schrie Rüdiger in der Not seiner Seele: »O du mein Gott, nimm mich von dieser Welt! Was immer ich jetzt auch tue, es macht mich ehrlos! Ich habe nur noch die Wahl zwischen Schande und Schande! O du mein Gott, erlöse mich doch von dieser Qual!« – »Deine Königin kniet vor dir!«, sprach Etzel.

Da schlug Rüdiger die Hände vor die Augen. »So muss ich armer Heimatloser heute für alle Gnade und Gaben zahlen«, sprach er, »das wendet nun keiner mehr von mir ab. Ach, zahlte ich nur mit dem Leben, so aber zahle ich mit der Ehre!« Seine Lippen waren weiß. »Ich empfehle Euch, Herrin, mein Weib und mein Kind, und Euch, Herr, meine Mannen voll Vertrauen auf Eure Großmut!«, sprach Rüdiger. »O Gott, wie ist das alles so schwer!«

»Gott wird es Euch lohnen, bester Markgraf«, erwiderte Etzel, »er wird Euch im Kampf behüten und schützen, und Ihr kehrt gesund wieder zu Euren Lieben zurück. Dann werdet Ihr auch in Wahrheit erfahren, wie König Etzel zu danken vermag! Ich will Euch Lande und Burgen und Ritter geben, so viel Ihr nur wollt, und Ihr sollt ein König gleich mir sein und gleich mächtig wie ich!« – »Weh mir«, sprach Rüdiger, »was tue ich da! Gott sei meiner verlorenen Seele gnädig!« Da weinte er wieder und auch Kriemhild weinte. Dann schickte der Markgraf Boten zu seinen Rittern, sich eilends zu waffnen und zur Burg zu ziehen.

Als Volker den Markgraf mit fünfhundert funkelnden Schilden zur Burg ziehen sah, erblasste er. Der junge Giselher aber rief erfreut: »Seht, nun kommt Hilfe in dringendster Not! Gewiss bringt mein Schwager einen Vorschlag zur Schlichtung! Ich werde das Dietlind tausendmal danken!« – »Sind das nicht seltsam viele Schwerter für eine Schlichtung!«, entgegnete Volker. Und er dachte: Auch der Markgraf will die günstige Stunde nützen und an uns Burgen und Lande verdienen! Da hielt Rüdiger schon vor dem Tor.

»Setzt euch zur Wehr, vieledle Ritter vom Rhein«, rief Rüdiger, »ich war gekommen, euch Hilfe zu bringen, und bringe euch nun den Tod! Wir sind Freunde gewesen, nun müssen wir Feinde sein!« – »Verhüte das Gott, Rüdiger«, sprach Gunther, »dass Ihr Eure Eide so gänzlich vergessen könnt! Wir sind einander in Liebe und Treue verbunden! Ich kann mir nicht denken, dass Ihr ehrlos geworden seid!«

Da brüllte Rüdiger: »Bei Gott, ich kann es nicht ändern!« Da hörte man nur den Wind und das leise Rascheln der Toten. »Bei Gott, ich kann es nicht ändern, Schwager!«, schrie Rüdiger und schlug die gepanzerten Hände übers gepanzerte Gesicht. »Bei Gott, ich kann es nicht ändern!«, stöhnte er.

Die Toten schwiegen.

»Ich kann es nicht ändern«, sprach Rüdiger, während seinen Rittern die Tränen aus den Augen rannen, »Kriemhild hat es mir nicht erlassen! Wir müssen gegeneinander kämpfen. Ich stehe in Etzels Dienst!« – »Das kann nicht sein, Rüdiger«, sprach König Gunther, »kein Wirt hat uns liebevoller aufgenommen, keiner uns mehr Treue und Heil erwiesen als Ihr! Niemand kann uns entzweien, wenn wir es nicht wollen!« – »Ich habe ihr geschworen«, schrie Rüdiger.

»Kehrt um!« schrie Gunther. »Soll denn dies Weib alle Freundschaft verhöhnen?«

»Ich habe ihr geschworen«, schrie Rüdiger.

»Seht, Schwager«, sprach Gernot, »ich halte hier ein Schwert in der Hand, das ist Euer Geschenk. Es ist ein gutes Schwert und ich habe es in Ehren geführt. Soll es nun Euch selbst treffen und Gotelind trauern machen?«

»O wäre es doch schon geschehen«, sprach Rüdiger, »wäre doch schon alles vorbei und wir lägen hier stumm unter den stummen Toten und litten nicht mehr diesen Schmerz! Es ist Sünde, was ich da sage, doch ich kann nicht anders! Ja, ich wünschte, dass mein Schwert mich erschlüge und dass ihr lebtet und euch meines Weibes und meines Kindes annehmen könntet! Dies soll mein letztes Wort sein, Schwager!«

Da sagte Giselher: »So wollt Ihr Eure eigene Tochter zur Witwe machen, mein Vater? Das kann nicht sein. Es gibt keine Macht, die Euch dies befehlen kann! Bedenkt, ich habe Euch vertraut wie noch nie einem Fremden!«

Da sagte Rüdiger: »Freunde, verzeiht mir Unseligem. Ich kann nicht anders! Lasst es mein Weib und mein Kind nicht entgelten!«

Da schrie Giselher: »So zerreiße ich denn alle Bande zwischen

147

mir und Euch! So zerreiße ich alle Bande mit Dietlind! So spricht kein Vater! Ihr seid der Teufel!« Da brüllte Rüdiger: »Genug! Befehlt Gott Eure Seelen!« Er hob seinen Schild vor das Gesicht und seine Krieger fassten die Lanzen zum Wurf. »O nicht so schnell«, rief da Hagen, »habt Ihr schon überlegt, was unser Tod Eurem König eigentlich nützt? Ein treuer Vasall müsste das bedenken!« Rüdiger schwieg. »Noch eins, Rüdiger«, sprach Hagen, »ich hatte einst einen Schild aus Euren Händen empfangen. Es war ein guter Schild, mit seeblauer Seide bespannt und reich mit Rubinen und Smaragden besetzt, doch nun liegt er längst zerhaun irgendwo in der Asche. Ich bin ungerüstet, redlicher Rüdiger. Willst du so mit mir kämpfen?«

»Wie könnte ich es wagen, Euch einen Schild zu geben, da Kriemhild zusieht«, entgegnete Rüdiger. »Da, nehmt meinen Schild! Möge er Euch schützen! Möget ihr alle nach Worms zurückkehren!« Und er reichte Hagen den eigenen Schild.

»Gott lohne es dir in der Ewigkeit, Rüdiger«, sprach Hagen, »es ist ein edles Geschenk, und ich weiß es zu schätzen. Zum Dank dafür will ich nicht gegen dich kämpfen. Siehe, ich gelobe es dir mit der Schwurhand: Mag auch mein König fallen, mögen auch alle meine Freunde fallen, mögen auch alle Burgunder erschlagen hier niedersinken, ich werde nicht gegen dich kämpfen, redlicher Rüdiger! Ich werde nicht gegen dich kämpfen, weil ich es nicht will und weil ich's dir schwöre!« Da trat Volker neben Hagen und sprach: »Wenn Hagen dies schwört, will auch ich es schwören! Auch ich werde nicht gegen dich kämpfen, redlicher Rüdiger! Dein Leben soll mir heilig sein. Ich bin dein Gast gewesen, wir haben einander vertraut, und nichts soll mich zwingen, dir die Treue zu brechen!« Da traten Rüdiger die Tränen in die Augen und er sprach: »Das ist sehr edel von euch«, doch er sprach es so leise, dass nur er es hörte. Dann brüllte er wie ein Tier und packte den Schild, den ihm sein Knecht vor die Füße gelegt hatte, und hob ihn vors Gesicht und rannte, seine Lanze werfend, gegen die Treppe, und ihm folgten seine fünfhundert Mann. Da senkten Hagen und Volker ihre Schwerter, und auch Giselher trat zur Seite und rührte sich nicht. Rüdiger stürmte an ihnen vorbei, und als seine Ritter eindrangen, begann das Gemetzel. Es währte nur kurze Zeit wie manche Gewitter zur Sommersonnenwende und war furchtbar wie diese. Dann lagen Rubine und Smaragde im Blut und zerhauenes Eisen, und Gernot erschlug Rüdiger mit dem Schwert, das ein Geschenk seines Schwagers war, und im Sterben erschlug Rüdiger Gernot, und Rüdigers Krieger erschlugen viele hundert Burgunder, und die Burgunder erschlugen alle Krieger Rüdigers. Dann war Stille im Saal.

König Etzel hörte die Stille und wurde zornig. »Warum kämpft Rüdiger nicht?«, fragte er. »Er ist doch gerade erst in den Saal eingedrungen!« Da sagte Kriemhild: »Schmach über den Ehrlosen! Er hat uns verraten! Er will, dass die Feinde uns heimlich entkommen, und handelt den Abzug mit ihnen aus! Sie haben ihn mit dem Hort gekauft. So lohnt der Treulose unsere Treue!«

Das hörte Volker und das schwarze Blut des Zornes schoss ihm durchs Herz. Er schrie: »Wärt Ihr nicht aus edelstem Blut, Königin, so würde ich sagen, Ihr seid eine Lügnerin aus der Hölle! Rüdiger hat seine Pflicht bis zum Ende getan!« Mit diesen Worten hob er den Leichnam Rüdigers über den Kopf. Da klagten Etzel und Kriemhild ohne Maßen um den gefallenen Helden, und alle ihre Ritter klagten um ihn und alle ihre Könige und Grafen, denn Rüdiger war das Vorbild aller Ritter gewesen und der Ruhm und die Zierde der Christenheit.

Wie Herrn Dietrichs Recken allesamt erschlagen wurden

Dô hôrt' man allenthalben   jâmer alsó grôz,
daz palas unde türne   von dem wuofe erdóz.
dô hôrt' ez ouch von Berne   ein Dietrîches man.
durch disiu starken mœre   wie balde er gâhén began!

Das Klagen und Weinen der Burg drang bis zu Dietrich, und bei
den Amelungen ging schon die Kunde um, König Etzel selbst sei
erschlagen worden. Da schickte Dietrich einen seiner Vasallen,
Herrn Helferich, aus, die Dinge zu erkunden, und er mahnte ihn
dringend, den Frieden, was immer auch geschehen sei und ferner
noch geschehen möge, auf das Genaueste zu wahren und nichts
gegen die Burgunder zu unternehmen. »Sie müssen nach dieser
Nacht ja von Sinnen sein«, sprach er, »wägt da nicht jedes ihrer
Worte, ich bitte Euch drum!« Herr Helferich versprach es und
ging und er kehrte bald schon mit nassen Augen wieder. »Was
ist geschehen?«, fragte König Dietrich. »Sie haben Rüdiger erschlagen«, berichtete Helferich. »Das kann Gott nicht wollen!«,
sagte Dietrich entsetzt. »Wie hätte der Redliche das verdient! Er
war den Burgundern gewogen wie keiner!« Da schrie Wolfhart:
»Wenn das wahr ist, müssen sie es büßen! Es wäre eine Schmach,
solchen Frevel zu dulden! Rüdiger war der Edelste aller; er hat uns
große Dienste erwiesen, seit wir Italien verloren! Ich will nicht
leben, wenn ich ihn nicht räche!« – »Ich verbiete es dir«, sprach
Dietrich von Bern.
Nun sandte Dietrich seinen Waffenmeister Hildebrand zu Gunther, um zu erfahren, was sich zugetragen habe. Hildebrand wollte ohne Schwert und Schild und auch ohne Begleitung zu den
Eingeschlossenen gehen, damit sein leibhaftiges Fleisch seine
friedliche Absicht bekunde, doch Wolfhart redete so lange auf
den Alten ein, er gehe in Hohn oder Tod, wenn er waffenlos ginge,
bis Hildebrand schließlich seinen Panzer anlegte und auch eine
Begleitung duldete. Da folgten ihm alle Amelungen. So sah Vol-

ker ihn kommen, und er meldete Gunther, dass Dietrichs Mannen bewaffnet und feindlich gegen die Burg zögen. »Nun erfüllt sich unser Schicksal«, sprach der Spielmann. »Das ist unser Untergang!« Da legte Hildebrand seinen Schild und sein Schwert im Burghof nieder.

»Was hat euch Rüdiger getan, gute Helden«, so sprach er. »Herrn Dietrich jammert sein Tod und er jammert uns alle. Ist es wirklich wahr, dass jemand von euch ihn erschlug?« – »Es ist wahr«, erwiderte Hagen, »und sein Tod jammert uns nicht minder. Es gibt nicht Tränen genug, ihn zu beweinen!« Da sagte Wolfhart: »Wenn mir mein eigener Vater zu Füßen hier läge, wahrhaftig, ich empfände nicht härteres Weh! Er war unser Trost, als wir heimatlos wurden, und wer wird jetzt sein Weib, wer wird seine Tochter trösten? Wer führt jetzt seine Krieger ins Feld!« Da weinten alle Amelungen.

»Gebt uns den Leichnam heraus«, sprach Hildebrand, »dass wir ihn würdig bestatten!« – »Solche Treue ehrt euch«, erwiderte Gunther, »so handeln wahre Freunde!« – »Sollen wir um den Toten noch betteln«, schrie Wolfhart erregt, »gebt ihn auf der Stelle heraus, ihr Mörder!« – »So holt ihn euch doch!«, rief Volker wütend. Da wollte Wolfhart die Treppe hinauf, doch Hildebrand riss ihn zurück.

»Bist du von Sinnen«, schrie der Alte, »hat der König uns nicht geboten, den Frieden zu wahren, was auch immer geschehe, und hier ist gar nichts geschehen! Willst du mit Gewalt seine Gunst verscherzen?« – »So lasst den Löwen doch los, Meister«, rief Volker, »er schäumt ja vor Grimm! Lasst ihn laufen, ich werde ihn schon zähmen!« Da riss sich Wolfhart aus Hildebrands Hand und stürmte ins Haus, und ihm folgten im Nu alle Ritter Dietrichs, und da musste nun auch Hildebrand folgen, und da er nicht dulden konnte, dass der Junge vor ihm den ersten Streich tat, überholte er Wolfhart auf der Treppe und rannte an ihm vorbei und warf sich auf Hagen und Wolfhart warf sich auf Volker, und Helferich warf sich auf König Gunther, und auch die Herren Ritschart, Gerbart, Wichart, Wolfbrand, Sigestab, Wolfmin und Helm-

not und all die anderen hochberühmten Amelungen wählten sich
würdige Gegner, und sie fochten so erbittert, dass Feuer aus allen
Panzern brach. Das Feuer fraß jede Besinnung. »Rache für Rüdiger!«, brüllte Wolfhart, und da wurde der Kampf so rasend, dass
die verkohlten Balken des Saales ein zweites Mal zu brennen begannen.

Das Getümmel des Kampfes riss die Helden voneinander und
vereinte sie wieder; es gab keinen, der nicht schon gegen jeden gefochten hatte, und der Tod tanzte lärmend mit dem einen wie andern. Volker erschlug Sigestab; Hildebrand erschlug Volker; Helferich erschlug Dankwart; Hagen erschlug Ritschart, Helmnot,
Wichart, Gerbart und Wolfmin; und der junge Giselher und der
junge Wolfhart erschlugen einander, da sie verwundet am Boden
lagen. Da waren alle Amelungen erschlagen bis auf Hildebrand
und alle Burgunder bis auf Gunther und Hagen. Da traten Hagen
und Hildebrand widereinander an.

Hildebrands Schwert hieß Brinning, Hagens Schwert Balmung.
Sie konnten einander lange Zeit nicht verwunden. Schließlich
durchschlug Balmung Hildebrands Harnisch. Da der Alte sein
Blut fließen sah, warf er den Schild auf seinen Rücken und floh.
Er floh über den Hof und floh bis zu Dietrich. Der saß taub vor
Gram in seinem Zelt.

»Was seid Ihr vom Blut so nass und rot, lieber Alter?«, fragte Dietrich. »Warum hörtet Ihr nicht auf meinen Rat! Ich habe Euch
doch verboten zu kämpfen!«

»Der Teufel Hagen hat mich verwundet«, sprach Hildebrand.

»Das ist Euch recht geschehen«, sprach Dietrich, »warum habt
Ihr den Frieden gebrochen! Für solchen Ungehorsam hätte jeder
andre mit dem Leben gebüßt!«

»Grollt nicht zu sehr, edler Herr«, sprach Hildebrand, »wir konnten nicht anders! Wir haben um Rüdigers Leichnam gebeten und
die Bitte wurde uns abgeschlagen!« – »So ist's also wahr, dass Rüdiger tot ist?«, sprach Dietrich erschüttert. »O du arme Waise
und du arme Witwe in Pöchlarn! Wer hat euch euren Schutz ge-
raubt?«

»Gernot«, entgegnete der Alte.

»So lasst mir mein Kampfgewand bringen«, sprach Dietrich, »ich will nun selbst die Burgunder befragen! Sagt meinen Leuten, sie sollen sich rüsten und mich begleiten!« – »Wer sollte das tun«, entgegnete Hildebrand, »außer uns beiden lebt keiner der Amelungen, und von den Burgundern leben noch Hagen und Gunther!«

Da brach Dietrich ins Knie und schrie zum Himmel und klagte dem Himmel sein Leid. »O dass mich der Schmerz doch töte«, rief er. »O Gott, wie viel kann der Mensch doch ertragen! Weh mir, dass ich geboren wurde!«

Wie Herr Dietrich mit Gunther und Hagen kämpfte

Dô suocht' der herre Dietrich   selbe sîn gewant.
im half, daz er sich wâfent',   meister Hildebrant.
dô klagete alsô sêre   der kreftige man,
daz daz hûs erdiezen   von sîner stímmé began.

Dietrich legte sein Kampfgewand an und Hildebrand half ihm. Dann gingen die beiden zur Burg. Da sagte Hagen zu Gunther: »Da sehe ich Dietrich kommen! Nun gilt es den letzten Gang!«

Und Hagen sagte: »Ich werde mit Dietrich kämpfen. Ich will ihn besiegen. Dann werden wir frei sein. Dann kehren wir nach Worms zurück.«

Das hörte Dietrich.

Die Berner legten vorm Tor ihre Schilde ab. »Was habt Ihr mir angetan, König Gunther«, fragte Dietrich, »dass Ihr mir alle meine Ritter erschlugt? Genügt Euch nicht Rüdigers Tod? Warum musstet Ihr uns so viel Leid antun!«

Da sagte Hagen: »Ich fürchte, Ihr seid nicht recht unterrichtet, Herr Dietrich! Uns könnt Ihr die Schuld an dem Verhängnis nicht geben. Eure Leute sind gewaffnet und in Kampfordnung hierher gekommen. Das ist die Wahrheit!«

»Wem soll ich noch glauben«, sagte Dietrich verzweifelt; »Hildebrand hat mir berichtet, er habe Euch um Rüdigers Leichnam gebeten und wäre darum mit Hohn beschieden worden!« – »Das ist ja nicht wahr«, sagte Gunther, »wir haben Rüdigers Leichnam zurückgehalten, um Etzel zu treffen. Darauf hat Wolfhart uns geschmäht. So ist es gewesen!« – »So war es denn so«, sagte Dietrich, »nun gut! Dann müsst Ihr mir einen Ausgleich leisten, das fordert der Anstand! Ergebt Euch mit Hagen mir als Geisel, und ich werde sorgen, dass Euch die Hunnen kein Leid antun! Ihr sollt von mir Treue und Großmut erfahren!«

»Da sei Gott vor«, erwiderte Hagen, »dass sich zwei freie Helden so billig ergeben!« – »Verwerft es nicht allzu leichten Sinns«, sprach darauf Dietrich, »bedenkt, wie tief Ihr mich gekränkt habt, und dass Ihr mir Sühne schuldig seid! Und denkt auch an Burgund und an die Euren: Ich setze Leben und Ehre zum Pfand, dass ich euch freien Abzug erwirke, und ich will euch bis an den Rhein geleiten!« – »Genug«, sagte Hagen, »es ziemt sich nicht, dass sich Freie ergeben. Ihr seid ja auch nur zu zweit und tut, als ob ein Heer hinter Euch stünde!« Da rief Hildebrand: »Dieser Hochmut wird Euch noch reuen, Hagen!« – »Mag sein«, erwiderte Hagen, »doch werde ich dann nicht fliehen, wie Ihr heute geflohen seid!« – »Ei, was«, sagte der Alte ergrimmt, »und wie war denn das damals auf dem Wasgenstein mit dem spanischen Walter, als Ihr zu aller Gespött auf dem Schild sitzen geblieben seid? Belustigt Euch bloß nicht über andere!« – »Lasst das Gezänk«, sagte Dietrich erbost, »lasst ruhn, was vor fünfzig Jahren geschehn ist! Nein, rede nicht weiter, Alter, ich verbiete es dir!«

Hildebrand murrte, doch Dietrich sagte zu Hagen: »Ihr gedachtet, mit mir allein zu kämpfen. Seid Ihr noch dazu bereit?« Da hob Hagen sein Schwert. Da sprang Dietrich die Treppe hinauf. Da fochten die beiden.

Dietrichs Schwert hieß Sachs. Es kämpfte einen ganzen Tag lang mit Balmung und eines bezwang das andere nicht. Schließlich schlug Sachs eine tiefe Wunde in Hagens Brust. Da dachte Dietrich: Hagen ist erschöpft. Es wäre nicht ruhmvoll, ihn jetzt zu töten.

Vielleicht kann ich die beiden noch retten. Ich will ihn lebendig als Geisel gewinnen! Da warf er den Schild und das Schwert weg und rang mit Hagen. Schließlich zwang er ihn nieder und fesselte ihn und führte ihn vor Etzel. Der wies ihn an Kriemhild.

Kriemhild schrie, als sie Hagen gefesselt vor sich sah. Sie schrie vor Glück; sie dachte, sie müsse vor Glück das Leben lassen. Sie sagte: »Ich kann dir nicht lohnen, Dietrich, was du für mich getan hast! Ich will dir geben, was ich besitze. Ich will dir dankbar sein bis in den Tod!«

Da sagte Dietrich: »Erfüllt mir nur einen Wunsch, Herrin!« – »Jeden«, sprach Kriemhild. Da sagte Dietrich: »So schont diesen Mann! Er wird Euch Sühne leisten!« Da nickte Kriemhild und sagte: »Führt ihn zu seinem Schutz in das sicherste Gemach!«

Da wurde Hagen in einen Kerker aus Stein geführt.

König Gunther rief aus dem Saal: »Was zögert Ihr, Dietrich! Nun kämpfen wir beide!« Da kämpfte Dietrich mit Gunther. Da wurde Gunther Dietrich ebenbürtig. Seine letzte Stunde war ruhmvoll. Das soll ihm bleiben. Er kämpfte wie ein Held mit Dietrich, und dass er erlag, ist keine Schande. Er stand den dritten Tag im Streit.

Dietrich fesselte auch Gunther. Es ziemte sich zwar nicht, einen König zu fesseln, allein Dietrich fürchtete, dass Gunther ungefesselt noch alle erschlage, so tapfer hatte er sich gewehrt. Er fasste den König an der gefesselten Hand und schritt neben ihm und übergab ihn Etzel. Der wies ihn an Kriemhild. Da setzte sich Kriemhild auf Etzels Thron.

»Willkommen, Gunther, König der Nibelungen«, so sprach sie.

Da sagte Gunther: »Diesen Gruß werde ich nicht erwidern, Schwester!«

Da fiel Dietrich vor Kriemhild aufs Knie und sprach:

»Edle Gemahlin des Königs, noch nie wurden solche tapferen Ritter wie diese als Geiseln gegeben! Ihr habt mir versprochen, einen Wunsch zu erfüllen. Ich bitte um Gnade für Hagen und Gunther!«

»Ich will ihnen gnädig sein«, erwiderte Kriemhild.

Da wurde Gunther in einen Kerker aus Eisen geführt. Kriemhild trat vor Hagen. »Gebt mir, was Ihr mir genommen habt«, sprach sie. »Gebt mir den Hort. Vielleicht kehrt Ihr dann nach Burgund zurück!«

»Mich bindet mein Eid«, erwiderte Hagen. »Ich habe meinen Herren geschworen, den Hort nicht zu verraten, solange sie leben!«

»So muss ich es zu Ende bringen«, sprach die hohe Frau. Sie sandte in Gunthers Kerker, dass man ihr den Kopf des Königs bringe. Sie nahm den Kopf bei den Haaren und zeigte ihn Hagen.

»Dein König ist tot«, sprach sie. »Dich bindet kein Eid mehr!«

Da nickte Hagen.

»So ist es zu Ende gebracht«, sprach er. »Meine Herren sind tot. Tot ist Giselher; tot ist Gernot; tot ist auch Gunther. Es war dein Wille! Nun wissen nur Gott und ich, wo der Hort ist. Dir bleibt es verborgen, Teufelin!«

»So gib mir wenigstens Balmung«, sprach Kriemhild. Sie zog das Schwert aus der Scheide an Hagens Gelenk. »Dies Schwert hat mein Liebster zugleich mit dem Hort gewonnen«, sprach sie. »Er hat es in seinen Händen gehalten. Seine Augen haben darauf geruht. Seine Ohren haben ihm gelauscht, da es sprach. Nun soll es ihn noch einmal grüßen!«

Sie packte das Schwert und schlug Hagen den Kopf ab.

Da erschauerte Etzel.

»Weh«, sprach er, »ein Weib hat den besten Ritter erschlagen! Die Welt ist aus den Fugen! Wehe uns!«

»Teufelin«, schrie Hildebrand, »was hast du getan! Du musst von der Erde, und mag es mir selber ans Leben gehen!«

Er stürzte sich auf die Königin und riss sie vom Thron. Sie schrie wie ein Tier. Sie schrie zu Etzel. Der rührte sich nicht. Da hatte sie schon das Schwert des Alten zerstückelt. Da weinte Etzel. So endete Liebe in Leid.

Was weiter geschah, weiß ich nicht. Ich weiß nur, dass man viele weinen sah, Ritter und Frauen und Kinder, und auch Knechte, und auch die Frauen und Kinder von Knechten.

Hier endet die alte Geschichte. Sie heißt: Der Nibelungen Not.

Materialien

Inhalt

Materialien

Rache   **Macht**

Geld/Gold

Siegfried, Gernot, König Gunther
Nibelungenfestspiele Worms, 2005

Verrat

Hass

Krieg

Liebe

König Gunther, Kriemhild, Siegfried, Brünhild (von links nach rechts)
Nibelungenfestspiele Worms, 2005

Mord

II Uns ist in alten maeren wunders vil geseit

1 Die Sage vom Drachenhort

In den Bergwäldern des südlichen Westfalen hausten Alben:
Naturgeister, die beliebige Tiergestalt annehmen können. Einst
töteten dort drei germanische Götter auf einer Wanderung einen
Alben in Gestalt eines Otters. Als Buße mussten sie dem Vater des
Alben (Reidmar) und seinen beiden Söhnen (Fafner und Regin)
einen Goldhort überlassen. Die Götter hatten diesen Goldhort einem
Zwerg entwendet. Um sich zu rächen, belegte der Zwerg das Gold
mit einem Fluch: Es sollte jedem, der es besäße, den Tod bringen.
Dieser Fluch erfüllt sich zuerst an Reidmar: Er weigert sich, das Gold
mit seinen Söhnen zu teilen, und wird dafür von Fafner im Schlaf
erstochen. Fafner setzt sich allein in den Besitz des Schatzes.

So bleibt es zunächst dabei, dass Fafner der Besitzer des Hortes
war. Alben, Zwerge und Riesen können beliebige Tiergestalt annehmen. So schuf Fafner sich, um gegen alle Anschläge sicherer
zu sein, in einen großen Lindwurm um. Er schleppte den Schatz
in einen Wald, die Gnitaheide, in eine Höhle dort, nicht weit von
einem Teich, und lag als Lindwurm auf dem Golde in der Höhle,
die er nur verließ, wenn er an den Teich kroch zum Trinken.
Regin war nicht so stark und zugreifend wie sein Bruder, dafür
aber klug und vor allem ein sehr kunstfertiger Schmied (beides
sind Alben und Zwerge öfter). Als er einmal im Walde Holzkohlen
brannte für seine Schmiede, kam plötzlich aus dem Dickicht ein
kleiner Junge auf ihn zugesprungen, mit langem Blondhaar und
blitzenden Augen, und hinter ihm kam eine Hirschkuh gelaufen
wie in mütterlicher Fürsorge. Das war Siegfried, der Sohn König
Siegmunds und der Sieglind. Sein Vater war nach vielen großen
Taten in einer Schlacht gefallen, heimgefordert von Wodan, der
ihm selbst im Kampfe entgegengetreten war und ihm den Speer
vorgehalten hatte, an dem Siegmunds sonst unzerbrechliches

Schwert zerschellt war. Seine Mutter war vor dem Feinde in den Wald geflohen, hatte ihm dort das Leben geschenkt und war gestorben. Die Hirschkuh aber hatte Jung Siegfried als Amme gedient, indem sie das kräftige Menschenkind mit den eigenen starken Jungen säugte und vor der Winterkälte schützte. Aber als 5 der kleine Königssohn einige Jahre alt geworden war, begann er auf eigene Hand umherzustreifen, und wie er Regin am Meiler stehen sah, da zog es ihn zu ihm, denn wenn er auch unansehnlich war, so hatte er doch Menschengestalt. Auch der Albe freute sich über den Königssohn, hatte er doch an ihm einen Gesellen 10 und Helfer.

So kam Jung Siegfried in die Schmiedelehre. Kräfte genug hatte er, um den schweren Schmiedehammer zu schwingen; die angeborene Art zeigte sich früh. Regin schätzte sie richtig ein und er dachte auch an seinen eigenen Vorteil. So verfertigte er für sei- 15 nen Zögling ein wunderbares Schwert, Balmung mit Namen, das war so scharf, dass sie am Ufer des Rheins diese Probe machen konnten: Regin hielt die Klinge in den Strom und Jung Siegfried ließ einen Büschel Wolle aus dem Fell eines von Regins Bergschafen stromabwärts dagegen treiben; da schnitt die Schneide 20 den Wollbüschel glatt durch. Heimgekehrt, schwang Siegfried das Schwert gegen den eisernen Amboss und der Hieb spaltete ihn bis auf den Grund. Da leuchteten seine Augen auf. Er wusste jetzt, was ein gutes Schwert bedeutete. Und Regin trieb ihn an, den Drachen Fafner zu erschlagen, von dem er ihm schon früher 25 erzählt hatte.

Sie ritten miteinander in die Gnitaheide, und nach des Pflegevaters Anweisung grub Siegfried auf der Drachenspur, die zum Wasser führte, eine Grube, so tief, dass er selbst ganz darin stehen, aber mit dem Schwert einen Stich aus der Grube heraus 30 führen konnte. Der Lindwurm war oben und an den Seiten gepanzert und nur am Bauche verwundbar. Siegfried wartete auf ihn in der Grube, den nackten Balmung in der rechten Faust, während Regin sich seitwärts ins Gebüsch geschlagen hatte. Als nun Fafner aus der Höhle gekrochen kam, schnob er Gift, und 35 das troff herab auf Siegfrieds Kopf. Es schadete ihm aber nicht und verwirrte ihn auch nicht. Er wartete kaltblütig, bis die Herzgegend des Untiers über die Grube glitt; dann stieß er zu, dass die Schwertspitze an den Rückenpanzer prallte, zog schnell zurück und sprang seitwärts aus der Grube heraus, ehe das in Strömen hervorbrechende Drachenblut sie ausfüllte. Während er sein rauchendes Schwert im Grase abwischte, sah er den Lindwurm furchtbar mit dem Schwanz schlagen und hörte ihn schnaufen und stöhnen. Bewegungen und Töne wurden nach einiger Zeit schwächer, und dann kam der Augenblick, wo das Untier sich verendend auf die Seite legte.

Nun näherte sich auch Regin, wünschte dem jungen Helden Heil für seine Tat, murmelte aber auch etwas von Brudertötung, für die ihm Buße gebühre, so dass Siegfried ihn erinnern musste, dass er selbst sein Auftraggeber war. Regin schnitt dann dem Drachen das Herz aus, trank Blut aus der Wunde und trug Siegfried auf, während er selbst einen Schlaf tue, das Drachenherz für ihn zu braten. Man glaubte durch den Genuss von Blut und Herz eines getöteten Wesens dessen Kräfte in sich aufzunehmen.

Jung Siegfried, noch gewohnt zu gehorchen, machte ein Feuer im Walde an und begann das Herz an einem Stabe zu braten. Als er meinte, es sei gar, weil der Saft herausquoll, tippte er mit dem Finger daran, um die Weichheit zu erproben. Da verbrannte er sich und steckte den Finger unwillkürlich in den Mund. Und als Fafners Herzblut seine Zunge berührte, da wurde das Vogelgezwitscher, das den Wald erfüllte, plötzlich für ihn verständliche Rede, und er hörte deutlich, wie Meisen, die über ihm in einer Baumkrone saßen, von ihm sprachen.

„Da sitzt Siegfried", sagte die eine, „brät das Drachenherz und weiß nicht, was Regin vorhat, wenn er durch das Herz sich wild machen will."

„Da hinten liegt Regin", sagte eine andere, „er geht zu Rate mit sich, um den Bruder zu rächen und den Burschen zu überlisten, der ihm arglos vertraut."

„Töricht ist Siegfried", sagte eine Dritte, „wenn er seinen Feind nicht durchschaut, der seinen Tod beschlossen hat – es gibt Arglist in der Welt!"

Und alle im Chor sangen: „Und einen Kopf kürzer wandere der alte Alb zur Unterwelt hinab! Alles Gold gehört dann dir allein, Fafners ganzer Hort." 5

Sehr bald hatte der helläugige Knabe verstanden, was die klugen Vögel meinten. „Dazu kommt es nie", rief er aus, „dass Regin mein Töter wird! Beide Brüder sollen mitsammen zur Unterwelt hinab!"

Er ging hin und schlug dem im Grase liegenden Regin mit Balmung den Kopf ab. Dann verzehrte er das Herz des Fafner und 10 trank Blut vom Drachen und vom Alben. Das erhöhte ihm Kraft und Einsicht. Er stieg zu Pferde, ritt die Spur entlang zur Höhle, die tief in die Erde gegraben war und eiserne Tore und Pfosten hatte, und füllte mit dem Schatz, den er drinnen fand, zwei Kisten. Die hängte er seinem Hengst vor dem Sattel über den Rü- 15 cken und wollte ihn am Zügel führen. Aber das gute Ross stand wie angewurzelt, bis sein Herr selber auf seinen Rücken sprang, und nun ging es in munterem Trabe in die Welt hinaus.

Aus: Gustav Neckel, Germanische Sagen, Diesterweg Verlag,
Frankfurt a. M. 1926

2   Friedrich Hebbel: Die Nibelungen.
Ein Deutsches Trauerspiel in drei Abteilungen

Der gehörnte Siegfried
Vorspiel in einem Akt

5   **Vierte Szene**

Die Recken treten wieder ein.

Gunther Ihr seid ein Schalk, Herr Siegfried.
Siegfried   Nehmt Ihr's krumm?
Giselher Vergebt mir nur, dass ich's sogar gewagt,
10   Mich Euch zu stellen. Doch will ich zur Strafe
       Mit meiner alten Mutter Ute ringen,
       Und wenn ich sie besiege, sollt Ihr mich
       Vor allem Volk bei schallenden Trompeten
       Mit Eichenlaub bekränzen, wenn Ihr wollt!
15 **Siegfried** Nichts mehr davon! Der Wurf war nicht so schlecht,
       Euch fehlen nur zehn Jahre.
Hagen   War das letzte
       Denn endlich Euer Bestes?
Siegfried   Kann man das
20   Im Spiele zeigen?
Gunther   Noch einmal willkommen!
       Und glücklich pries ich mich, wenn's mir gelänge,
       Dich anders als für flüchtigen Besuch
       An mich zu fesseln. Doch was hätte ich,
25   Das ich dir bieten könnte. Wär es auch
       Mein rechter Arm – mit dem ich mir den Dienst
       Von deinem linken gern erkaufen möchte –,
       Du sagtest nein und kämst wohl auch zu kurz!
Siegfried Nimm dich in Acht, ich bettle, eh du's denkst!
30 **Gunther** Was es auch sei, es ist voraus gewährt.
Siegfried Hab Dank für dieses Wort! Ich werde dir

Es nie vergessen, doch ich gebe dir's
Sogleich zurück, denn meine Wünsche sind
Vermessner, als du ahnst. Ich war bescheiden,
Als ich dein Reich bloß forderte.

Gunther   Du wirst   5
Mich nicht erschrecken.

Siegfried   Hörtest du vielleicht
Von meinen Schätzen? Nun, das ist gewiss,
Für Gold und Silber brauchst du nicht zu zittern,
Ich hab so viel davon, dass ich es lieber   10
Verschenkte als nach Hause schleppte, doch
Was hilft's mir? Was ich dafür kaufen möchte,
Ist nimmer feil!

Gunther   Das ist?

Siegfried   Du rätst es nicht? –   15
Ein anderes Gesicht als dieses hier!

Gunther Hast du die Kraft des alten schon erprobt?

Siegfried An meiner Mutter, ja! Und da mit Glück,
Denn ihr gefällt's!

Gunther   Nicht sonst noch?   20

Siegfried   Allerdings!
Hast du's denn nicht bemerkt? Ein Mägdlein sah
Vorhin auf uns herunter in den Hof,
Und als sie, ihre goldnen Locken schüttelnd,
Die wie ein Vorhang ihr die Augen deckten,   25
Mich unter euch erblickte, fuhr sie rascher
Zurück wie ich, als sich im Reich der Zwerge
Die Erde, die mein Fuß betrat, auf einmal
Zu einem Angesicht zusammenzog,
Das mir die Zähne zeigte!   30

Gunther   Bloße Scheu!
Versuch's nur immer weiter. Wenn's dir aber
Am Werber fehlt: Ich leiste dir den Dienst,
Nur musst du mir den gleichen auch erweisen,
Denn Kriemhild, meine Schwester, darf nicht ziehn,   35

Bevor hier Brunhild ihren Einzug hielt.

Siegfried Welch einen Namen nennst du da, o König?
Die nord'sche Jungfrau denkst du heimzuführen,
Der flüss'ges Eisen in den Adern kocht?

5   Oh, gib es auf!

Gunther   Warum? Ist sie's nicht wert?

Siegfried Nicht wert! Ihr Ruhm durchfliegt die Welt! Doch keiner
Kann sie im Kampf bestehen, bis auf einen,
Und dieser eine wählt sie nimmermehr.

10   **Gunther** So sollte ich aus Furcht vor ihr nicht werben?
Welch eine Schmach! Viel lieber gleich den Tod
Von ihrer Hand als tausend Jahre Leben
In dieser Ohnmacht schimpflichem Gefühl.

Siegfried

15   Du weißt nicht, was du sprichst. Ist's Schmach für dich,
Dass dich das Feuer brennt und dass das Wasser
Dich in die Tiefe zieht? Nun, sie ist ganz
Wie's Element, und einen Mann nur gibt's,
Der sie bewält'gen und, wie's ihm gefällt,

20   Behalten oder auch verschenken kann!
Doch möchtest du sie wohl von einem nehmen,
Der nicht ihr Vater, noch ihr Bruder ist?

Gunther Erst werd ich sehen, was ich selbst vermag!

Siegfried Es glückt dir nicht, es kann dir gar nicht glücken,

25   Sie wirft dich in den Staub! Und glaube nicht,
Dass Milde wohnt in ihrer ehrnen Brust
Und dass sie etwa, wenn sie dich erblickt,
Es gar zu einem Kampf nicht kommen lässt!
Das kennt sie nicht, sie streitet um ihr Magdtum,

30   Als wär ihr Leben selbst daran geknüpft,
Und wie der Blitz, der keine Augen hat,
Oder der See, der keinen Schrei vernimmt,
Vertilgt sie ohne Mitleid jeden Recken,
Der ihr den Jungfraungürtel lösen will.

35   Drum gib sie auf und denk nicht mehr an sie,

Wenn du sie nicht aus eines andern Händen,
Wenn du sie nicht von mir empfangen magst!

Gunther Und warum sollt ich nicht?

Siegfried Das frag dich selbst!
Ich bin bereit, mit dir hinabzuziehn, 5
Wenn du die Schwester mir als Lohn versprichst,
Denn einzig ihrethalben kam ich her,
Und hättest du dein Reich an mich verloren,
Du hättst es dir zurückgekauft mit ihr.

Hagen Wie denkst du's denn zu machen? 10

Siegfried Schwere Proben
Sind zu bestehn! Sie wirft den Stein wie ich
Und springt ihm nach, so weit er fliegt, sie schleudert
Die Lanze und durchbohrt auf hundert Schritte
Ein siebenfaches Erz, und so noch mehr. 15
Allein was tut's, wir teilen uns ins Werk,
Mein sei die Arbeit, die Gebärde sein!

Hagen Er soll den Anlauf nehmen, du willst werfen
Und springen?

Siegfried Ja! so mein ich's! Und dabei 20
Ihn selbst noch tragen!

Hagen Torheit! Wie ist's möglich,
Sie so zu täuschen?

Siegfried Durch die Nebelkappe,
Die mich schon einmal ihrem Blick entzog! 25

Hagen Du warst schon dort?

Siegfried Ich war's! Doch warb ich nicht,
Auch sah ich nur, ich wurde nicht gesehn! –
Ihr staunt und schaut mich voll Verwundrung an?
Ich merk es wohl, ich muss den Kuckuck machen, 30
Eh ihr mir trauen könnt, doch denke ich,
Wir sparen's für die Fahrt, denn die ist lang,
Auch kann ich, wenn ich von mir selbst erzähle,
Dabei ins Wasser sehn!

Gunther Nein, sprich uns gleich 35

Von Isenland und deinen Abenteuern!
Wir hören's gern und waren schon dabei,
Es selbst zu tun.

Siegfried   Auch das! Mich trieb die Lust
5   Am Kampf so weit hinunter, und ich traf
Dort gleich den ersten Tag bei einer Höhle
Zwei junge Recken, die sich grimmig stritten.
Es waren Brüder, König Niblungs Söhne,
Die ihren Vater kaum begraben hatten –
10 Erschlagen auch, wie ich nachher vernahm –
Und schon ums Erbe zankten. Ganze Haufen
Von Edelsteinen lagen aufgetürmt
Um sie herum, dazwischen alte Kronen,
Seltsam gewundne Hörner und vor allem
15 Der Balmung, aus der Höhle aber blitzte
Das rote Gold hervor. Als ich erschien,
Verlangten sie mit wildem Ungestüm,
Dass ich den Schatz als Fremder teilen sollte,
Und gern gewährt ich's, um den Mord zu hindern,
20 Mit dem sie sich bedrohten, doch umsonst.
Denn als ich fertig war, fand jeder sich
Verkürzt und tobte, und ich warf die Hälften
Auf ihr Begehren wieder durcheinander
Und teilte abermals. Da wurden sie
25 Noch zorniger und drangen, während ich
Gebückt auf meinen Knien lag und still
Auf einen Ausgleich sann, in toller Wut
Mit rasch gezognen Degen auf mich ein.
Ich, um der Rasenden mich zu erwehren,
30 Griff zu dem Balmung neben mir, weil ich
Die eigne Klinge nicht mehr ziehen konnte,
Und eh ich's dachte, hatten alle beide,
Wie Eber, welche blind aufs Eisen laufen,
Sich selbst gespießt, obgleich ich liegen blieb
35 Und ihrer schonte, und so ward ich Erbe

Des ganzen Hortes.

Hagen   Blutig und doch redlich!

Siegfried   Nun wollt ich in die Höhle gehn! Wie staunt ich,
   Als ich den Eingang nicht mehr fand. Ein Wall,
   So schien's, war plötzlich aus dem Schoß der Erde   5
   Hervorgestiegen, und ich stach hinein,
   Um mir den Weg zu bahnen. Doch da kam
   Statt Wasser Blut, es zuckte und ich glaubte,
   Ein Wurm sei in dem Wall versteckt. Ich irrte,
   Der ganze Wall war nur ein einz'ger Wurm,   10
   Der, tausend Jahre in der Felskluft schlafend,
   Mit Gras und Moos bewachsen war und eher
   Dem zack'gen Rücken einer Hügelkette
   Als einem Tiere glich, das Odem hat.

Hagen   Das war der Drache!   15

Siegfried   Ja, ich schlug ihn tot,
   Indem ich ihn bestieg, eh er sich bäumte,
   Und ihm von hinten her, den Nacken reitend,
   Das blaue Haupt zerschmetterte. Es war
   Vielleicht das schwerste Stück, das ich vollbrachte,   20
   Und ohne Balmung wär's mir nicht geglückt.
   Dann hieb ich mich durch seinen Riesenleib,
   Durch all das Fleisch und die gewalt'gen Knochen,
   Wie durch ein felsichtes Gebirg, allmählich
   Bis an die Höhle durch. Doch hatte ich   25
   Sie kaum betreten, als ich mich umklammert
   Von starken Armen fühlte, die mein Auge
   Nicht sah und die mir dennoch fast die Rippen
   Zusammendrückten, ganz, als ob die Luft
   Es selber täte! Es war Alberich,   30
   Der wilde Zwerg, und niemals war ich wohl
   Dem Tod so nah als in dem grausen Kampf
   Mit diesem Ungetüm. Doch endlich wurde
   Er sichtbar, und nun war's um ihn geschehn.   35
   Denn, ohne es zu wissen, hatte ich ihm,

Derweil ich mit ihm rang, die Nebelkappe
Vom Kopf gerissen, und mit seiner Hülle
Verlor er auch die Kraft und stürzte hin.
Nun wollt ich ihn zertreten wie ein Tier,
5   Da löste er, schon unter meinen Fersen
Mit seinem Hals, sich rasch durch ein Geheimnis,
Das ich nicht ahnte, er entdeckte mir
den Zauber, der im Blut des Drachen steckte,
Solange es noch rauchte, und ich ließ
10 Ihn eilig frei und nahm mein rotes Bad.

Gunther So hast du dir an einem einz'gen Tage
Den Balmung und den Hort, die Nebelkappe
Und deine Haut von Horn erkämpft?

Siegfried   So ist's!
15 Ja, auch die Vögelsprache! Als ein Tropfe
Des Zauberbluts mir auf die Lippen sprang,
Verstand ich gleich das Zwitschern über mir,
Und hätt ich nicht zu rasch ihn abgewischt,
So würd ich auch, was hüpft und springt, verstehn.
20 Denkt euch: Auf einmal flüstert es im Baum,
Denn eine alte Linde deckte alles,
Dann kichert's, lacht und höhnt, sodass ich Menschen
Zu hören glaubte, die im Laub versteckt,
Mein Tun verspotten. Wie ich um mich schaue,
25 Erblick ich nichts als Vögel, Krähen, Dohlen
Und Eulen, die sich streiten. Brunhild wird
Genannt, auch ich. Ein Knäuel dunkler Reden
Hinüber und herüber. Eins nur klar,
Dass noch ein Abenteuer meiner harrt.
30 Die Lust erwacht. Die Dohle fliegt voran,
Die Eule folgt. Bald sperrt ein Flammensee
Den Weg, und eine Burg, wie glühendes
Metall in bläulich-grünem Schimmer leuchtend,
Taucht drüben auf. Ich halte an. Da ruft
35 Die Dohle: „Zieh den Balmung aus der Scheide

Und schwing ihn dreimal um das Haupt!" Ich tu's,
Und schneller als ein Licht erlischt der See.
Nun wird's lebendig in der Burg, Gestalten
Erscheinen auf der Zinne, Schleier flattern,
Und eine stolze Jungfrau schaut herab.   5
Da kreischt die Eule auf: „Das ist die Braut!
Nun mit der Nebelkappe fort!" Ich hatte
Sie bloß zur Probe aufgesetzt und wusste
Nicht einmal, dass ich sie noch trug. Doch jetzt
Hielt ich sie mit den Händen fest, weil ich   10
Die kecken Vögel darnach haschen sah.
Denn Brunhild rührte, wie sie droben stand,
In aller ihrer Schönheit nicht mein Herz,
Und wer da fühlt, dass er nicht werben kann,
Der grüßt auch nicht.   15

Volker Das ist ein edles Wort.

Siegfried So schied ich ungesehn und kenne doch
Die Burg und ihr Geheimnis, wie den Weg. [...]

Aus: Friedrich Hebbel: Die Nibelungen. Ein Deutsches Trauerspiel in
drei Abteilungen. Gondrom Verlag, Bindlach 1995, S. 34–41.

Siegfried badet im Drachenblut, Verfilmung von 1923, Deutschland

3 Tolkiens Quellen

Natürlich erkennt jeder halbwegs gebildete Mensch, der den *Herrn der Ringe* liest, dass der Autor bestimmte vertraute Konzepte aus der allgemeinen Folklore, Literatur und Mythologie Europas verwendet. Elben, Drachen, Trolle und Zwerge – die alle bei Tolkien auftauchen – kann man auch in den Märchen der Gebrüder Grimm oder Hans Christian Andersens entdecken. Tolkien erfand sie also nicht, sondern er verwendete sie. Aber sonst wirkt auf den ersten Blick nur wenig in der Trilogie vertraut. Erst wenn man sich lange und eingehend mit dem Werk befasst, erkennt man allmählich, wie Tolkien die alten nordischen und germanischen Legendenschätze aufgegriffen hat und ihre Substanz für seine eigenen Zwecke umformte. (…)

Die *Edda* ist ein uraltes Werk der nordischen Literatur – man könnte es gewissermaßen als das Alte Testament der nordischen Mythologie bezeichnen. Ebenso wie das Alte Testament, mit dem es eine gewisse strukturelle Ähnlichkeit aufweist, ist die *Edda* eine gewaltige zusammengewürfelte Anthologie aus etwa 35 Büchern, von denen die meisten in Versen, einige jedoch als Prosa aufgezeichnet wurden. Sie ist eine bunte Ansammlung aus Geschichten, Heldenlegenden, Dichtkunst, Sprichwörtern, religiösen Mythen, Ahnentafeln, reiner Fabel, Theologie und Kosmogonie. Die *Ältere Edda* ist der Ursprung, die Quelle, der nordischen Mythologie. (…)

Zu den großartigsten Erzählungen in der *Älteren Edda* gehört die Legende von Siegfried, dem Drachentöter, der den fabelhaften Schatz der Nibelungen errang. Sie zählt zu den berühmtesten Geschichten überhaupt, vergleichbar mit der Sage um Arthur, Guinevere und Lancelot oder dem Trojanischen Krieg. Nach der *Edda* durchlief sie ein halbes Dutzend späterer Versionen und Neuerzählungen, aber im Original verlief sie wie folgt: Der Völsunge Sigurth tötet den Drachen Fafnir und erringt den Hort oder Schatz des bösen Zwerges Andvari. Er erweckt die Walküre Sigfrida aus ihrem Zauberschlaf und umwirbt sie für König Gunnar, dessen Weib sie wird. Zur Belohnung gibt Gunnar dem Sigurth Guithrun zur Frau. Später töten Gunnar und Hogni Sigurth, um den Nibelungenhort an sich zu bringen.

Die erste Version der Erzählung präsentiert bereits die Hauptelemente, die immer wieder in den nachfolgenden Versionen auftauchen – Elemente, die Tolkien aufgriff. Zum Beispiel finden sich in Andvaris Schatz „goldene Ringe", und der sterbende Drache prophezeit seinem Mörder Sigurth (in Fafnismol, 20): „Diese Ringe verderben dich." Im späteren Verlauf der Geschichte, in *Gudrunarkvida frysta*, 21, weint Guithrun über dem Leichnam ihres Gatten Sigurth und verkündet: 5 10

> *Nicht wirst du, Gunnar, des Goldes genießen:*
> *Dir rauben die roten Ringe das Leben.*

Aus diesem Saatgut erwuchs das Konzept des goldenen Zauberringes, der sich als Verhängnis für seinen Träger erwies. 15
Die Erzählung vom Drachentöter wandelte und entwickelte sich immer weiter. (...)

Bisher sind im Verlauf dieser Erzählung mehrere Elemente zutage getreten, derer Tolkien sich bediente: Da wäre erst einmal die Tötung eines Drachen, dann der Fluch, der auf dem Schatz des Drachen liegt und jedem Unheil bringt, der ihn in Besitz nimmt, sowie ein Talisman, der unsichtbar macht, und vieles mehr. 20
Allerdings musste die Erzählung zuvor noch eine letzte Entwicklungsstufe durchlaufen. 25
Als Richard Wagner um 1850 seinen Opernzyklus *Der Ring des Nibelungen*[1] zu komponieren begann, befasste er sich auf Anraten seines guten Freundes Franz Liszt mit Deutschlands Nationalepos. Wagners gewaltige Tetralogie[2] entstand direkt aus den

---

1 Dieser besteht aus vier Teilen: Das Rheingold, Die Walküre, Siegfried, Götterdämmerung
2 Folge von vier zusammenhängenden künstlerischen Werken

Materialien der epischen Legende, allerdings mit einigen Verän-
derungen, die allein Wagners Beitrag waren. (…)
Wagners Handlungsablauf entwickelt sich wie folgt:
In *Das Rheingold* erfährt der Zwerg Alberich von den Rheintöch-
tern, dass das Goldstück, welches sie auf dem Grund des Flusses
bewachen, seinem Besitzer dann große Zauberkräfte verleihen
würde, wenn es jemals zu einem Ring geschmiedet werde. Als
die Rheintöchter sich seinem lüsternen Zugriff entwinden, stiehlt
der erzürnte Alberich das Gold und zwingt den Zwergenschmied
Mime, es zu einem Ring der Macht zu schmieden.
Derweil überredet Wotan, der König der Götter (die germanische
Gestalt des nordischen Odin), die Riesen Fasolt und Fafner dazu,
ihm Walhall zu erbauen. Als Belohnung verspricht er ihnen die
Göttin Freia. Indem er an die Gier der tumben Riesen appelliert,
überredet sie Loge der Listige (Loki) nach Vollendung ihrer Arbeit,
stattdessen den Ring als Bezahlung anzunehmen. Er lockt sie:

> *Doch ward es zum*
> *Runden Reife geschmiedet,*
> *Hilft es zur höchsten Macht,*
> *Gewinnt dem Manne die Welt.*

Die Riesen gehen auf diesen abgeänderten Handel ein, woraufhin
Wotan und Loge Alberich aufsuchen, der sich mittlerweile durch
die Macht des Ringes zum König der Zwerge aufgeschwungen
hat. Sie verleiten ihn dazu, ihnen die gestaltwandlerische Macht
des Ringes vorzuführen, nehmen ihn in seiner Krötenform gefangen und zwingen den Zwerg, ihnen sowohl den Ring als auch den
Tarnhelm der Unsichtbarkeit sowie den goldenen Zwergenhort
herauszugeben.
Mürrisch tut er, wie ihm geheißen, belegt den Ring aber mit
einem Fluch:

> *Wie durch Fluch er mir geriet,*
> *verflucht sei dieser Ring!*

Gab sein Gold mir Macht ohn Maß,
nun zeug' sein Zauber Tod dem, der ihn trägt!

Danach überreichen die Götter den Riesen die Schätze, wenngleich Wotan schon dem Fluch des Ringes verfallen ist und ihn nur widerwillig hergibt. Nun spüren auch die beiden Riesen den tödlichen Fluch, streiten um den Besitz des Ringes und kämpfen gegeneinander. Fafner tötet seinen Bruder Fasolt und nimmt das Geschmeide an sich.

In *Siegfried*, dem dritten Teil von Wagners Tetralogie, versucht Mime das zerbrochene Schwert Notung für den jungen Siegfried wieder zusammenzufügen. Es gelingt ihm jedoch nicht, woraufhin Siegfried die beiden Hälften des geborstenen Schwertes selbst aneinander schmiedet. Siegfried bewaffnet sich mit Notung und tötet Fafner, der die Gestalt eines Drachen angenommen hat. Siegfried versucht nicht, ihm die dicken Schuppen zu durchschlagen, sondern sticht ihm durch die weiche ungeschützte Brust. Durch einen Zufall kostet Siegfried vom heißen Blut des Drachen und stellt fest, dass er nunmehr die Sprache der Vögel versteht. Er hört die Vögel, die die Tötung Fafners gesehen haben, zwitschern, dass er in die Höhle gehen und Tarnhelm und Zauberring selbst an sich nehmen solle.

Während Siegfried in der Grotte den Nibelungenhort und die beiden Zauberschätze einpackt, treffen Alberich und Mime bei der Höhle ein. Sie entdecken, dass der Drache tot ist, geraten in Streit darüber, wer von ihnen den Ring bekommen soll, und bringen sich darüber beinahe gegenseitig um. Als Siegfried mit dem geplünderten Gut wieder auftaucht, flieht Alberich. Mime versucht dem Helden den Ring abzunehmen, greift ihn an und wird von Siegfried getötet. Danach rettet Siegfried die Walküre Brünhilde aus ihrem von Zauberflammen umgebenen Schloss, und die gewaltige Geschichte strebt ihrem unaufhaltsamen Ende entgegen.

Elemente der Siegfried-Sage in Tolkiens Trilogie

In der letzten Gestalt der Siegfried-Sage, die diese unter der Hand von Richard Wagner annahm, erwecken zahlreiche Handlungselemente unsere Aufmerksamkeit. Dazu gehören unter anderem folgende:

1. Der Drache, der einen Schatz bewacht;
2. Der goldene Zauberring, der seinem Träger große Macht verleiht, jedoch mit einem todbringenden Fluch belegt ist;
3. Ein Talisman der Unsichtbarkeit, der mit dem Schatz in Zusammenhang steht;
4. Die Tötung des Drachen durch eine ungeschützte Stelle in dessen Brust;
5. Das geborstene Schwert, das wieder zusammengefügt wird;
6. Der Streit zweier Zwerge oder zweier Riesen um den Besitz des Ringes, wobei einer der beiden durch die Hand des anderen stirbt;
7. Der böse kleine Zwerg, der den Ring besaß, wird durch ihn verdorben und in den Wahnsinn getrieben und findet letztlich seinetwegen den Tod;
8. Der Umstand, dass der Fluch des Ringes nicht nur den Tod bringt, sondern auch eine Art moralischen Zerfall bewirkt oder bei allen, die mit ihm in Berührung kommen, die Gier nach seinem Besitz weckt.

Die Leser, (…) werden rasch erkennen, dass sämtliche der acht aufgeführten Handlungselemente in Tolkiens Erzählungen vorhanden sind. Zwar hat er den Zauberring und den Helm der Unsichtbarkeit in einem einzigen Talisman zusammengeschlossen, aber das ist auch die einzige signifikante Abweichung von den Siegfried-Elementen. Im *Hobbit* wird der Drache Smaug wie Fafner durch eine ungeschützte Stelle in der Brust getötet. Im *Herrn der Ringe* treffen wir auf die Geschichte vom „Schwert, das zerbrach und neu geschmiedet wird", als Aragorn enthüllt, dass er Narsil, das geborstene Schwert Elendils, hütet. Es wird wieder zusammengefügt und trägt fortan den Namen Andúril, „Flamme des Westens". Tolkien verwendet auch die Szene, in welcher der Held die Sprache der Vögel erlernt und weisen Rat von einem solchen Vogel erhält. In Kapitel XV des *Hobbit* überbringt der Rabe Roac, Sohn des Carc, Thorin Eichenschild die Nachricht, dass Smaug den Tod fand. Tolkien zeichnet auch die Szene nach, in der die beiden Zwerge Alberich und Mime um den Besitz des Ringes streiten und einer von der Hand des anderen stirbt. Gollum brachte sich in den Besitz des Ringes, als sein Name noch Sméagol lautete. Er kämpfte mit seinem Freund Déagol und erwürgte ihn, um den Ring an sich zu bringen. In der Trilogie wiederholt sich sogar der Abschnitt mit Allvater Wotan, der, obschon König der Götter, die unwiderstehliche Verlockung des Ringes spürt. Gandalf, der mächtige Zauberer, weigert sich, die Bürde des Ringes zu tragen, da sogar er in Versuchung käme, ihn zu verwenden.

Es kann kaum ein Zweifel daran bestehen, dass Professor Tolkien die Siegfried-Sage in all ihren oben angeführten Varianten und Nacherzählungen studiert hat. Das wissen wir deshalb, weil er Facetten, Ideen oder Elemente verwendet, die in einigen Fällen nur einer einzigen Version der Legende zu Eigen sind. Zum Beispiel findet man den Kampf um den Ring zwischen Mime und Alberich in dieser Form nur bei Wagner.

Aus: Lin Carter, Tolkiens Universum, List Verlag, München 2002, S. 211–221, gekürzt

Aus der ersten Hälfte des 11. Jahrhunderts stammt die Steinritzung von Ramsundsberg in Schweden. Hier wird in wenigen Bildern die Sage von Siegfried und dem Drachenhort dargestellt. (siehe S. 162)

5 Siegfried und der Schatz

Es war das Gold. Münzen, Ketten. Raue Stücke, kleine Klingen. In Diademen mit Juwelen, als Schilde zu Spiegeln poliert. In schneeweiße Stoffe eingewirkt und als Schüsseln und Kelche auch ohne Inhalt kostbar. Nicht aufgehäuft wie ein Schatz, den es zu horten galt, lag es überall herum, seine eigenen Berge und Täler bildend. An manchen Stellen wuchs die Pracht mannshoch in die Höhe, aber niemals fiel sie weit genug herab, um auch nur einen Handbreit Boden freizugeben. Die Wände spiegelten den Glanz wie goldenes Wasser.

Es klirrte und knirschte unter Siegfrieds Füßen, als er vorsichtig die Reichtümer betrat, die vor ihm lagen. Seine Augen fanden keine Ruhe, und seine Hände wussten nicht, welche Stücke sie zuerst greifen sollten.

Es war nicht Gier, die Siegfried das Herz übergehen ließ. Es war Erkenntnis. [...] Heldenmut macht nicht reich, kaufte nicht Heere, eroberte keine Königreiche zurück. Gold tat das.

Er bemerkte, dass genau in der Mitte des Felsendoms eine Art Brunnen aus dem Boden ragte, ebenfalls von Gold umspült. Ein klares Rund in Kniehöhe, mit Wasser verlockend gefüllt. In der Mitte des Brunnens war wiederum ein steinernes Podest, auf dem zwei Gegenstände lagen. [...]

Das eine war ein Helm, so fein geschmiedet, dass kreuzförmige Streben das papierdünne Gold tragen mussten. Das edle Metall war fast durchsichtig, und die Ränder zierten seltsame Zeichen, die nur aufgehaucht schienen. Zum Kampfe sicherlich zu filigran, war der Helm doch eine Zierde, die zu tragen Anmut und Respekt versprach.

Das andere Stück war ein Ring, auch er einfach und ohne den Pomp adeliger Arroganz. Perfekt geformt, zwei sich umwindende Bänder, eines dunkel, das andere hell. Ihr Spiel mit dem Licht war so vollendet, dass sie sich im Glanz zu bewegen schienen.

Siegfried, geblendet wie nicht mehr, seit er zum ersten Mal Kriemhild sah, streckte die feuchte Hand nach beidem aus.

Nein ... nein ... nein!!!

Die Stimmen kamen plötzlich wieder, klar und schneidend wie nie zuvor. Sie hallten von den Wänden, ließen das Gold zittern und kräuselten das Wasser des Brunnens.

5 *Nimm nicht, was nicht dein!*

Siegfried, bis zu den Schenkeln im Wasser, drehte sich um: „Wer seid ihr? Wie könnt ihr mir versagen, was ich mir erstritten habe?"

Erstritten nur den Kopf des Drachen ...

10 „Und alles, was ich in seinem Besitz finde!"

Nimm nicht, was nicht dein!

Es ärgerte und verunsicherte Siegfried, so deutlich unter wachsamen Augen zu weilen, ohne selbst seinen Gegner zu sehen. Er dachte daran, Nothung[1] in die Hand zu nehmen, aber was hätte

15 es ihm helfen sollen? „Ich bin Siegfried", sagte er mit größtmöglichem Selbstverständnis in der Stimme.

... von Xanten ...

Es war nun nicht mehr daran zu zweifeln, dass die Kräfte, die hier am Werk waren, aus seinem Geiste lasen oder von großer

20 Weisheit waren. „Das Gold ist verdient und wird mir helfen, mein Reich zurückzuerobern!"

... das Gold nimmt, was es gibt ...

„Was soll das bedeuten?"

Nimm nicht, was nicht dein!

25 Siegfried sah ein, dass ihm die körperlosen Stimmen ihre wahren Beweggründe nicht verraten wollten. Wütend griff er den Helm und den Ring und trat aus dem Brunnen.

Er nimmt, was nicht sein!

Um Nothung aufzunehmen, musste Siegfried eine Hand frei

30 haben, also setzte er den leichten Helm kurz entschlossen auf sein nasses Haar. Es prickelte.

Er griff nach seinem Schwert und hob es hoch. Es dauerte einen Herzschlag, bis er erkannte, was geschah: Nothung hing in der Luft, wie von unsichtbaren Fäden gehalten!

---

1 anderer Name für Siegfrieds Schwert Balmung, siehe S. 177

Und das, obwohl Siegfried seine Finger an dem weichen Leder des Griffs spüren konnte.

Eine Täuschung? Ein Versuch der Stimmen, ihn durch Trugbilder zu ängstigen? Er sah an sich herunter – und dabei durch sich hindurch. Er kniff die Augen zusammen, aber sein Körper blieb ein vages Flimmern, fließendes Glas, klares Wasser ohne ein Gefäß. Er war – unsichtbar?!

Erschrocken hob er das Schwert, als wäre es ein Angriff, gegen den es sich zu verteidigen galt. Wie Nebel im Sonnenlicht löste sich nun auch Nothung auf, ohne das Gewicht in seiner Hand zu verlieren.

Er nutzt, was nicht sein!

Die Stimmen schienen nun schriller, verstört und beunruhigt. Nutzen, was nicht sein? Siegfried versuchte die Worte mit dem Geschehen in Einklang zu bringen. Er hatte doch nur den Helm aufgesetzt ...

Der junge Krieger nahm das goldene Geflecht wieder von seinem Kopf, und flackernd wie ein sich am Feuer entzündender Ast erschien seine Gestalt wieder, auf dem Gold hundertfach gespiegelt.

Siegfried blickte den Helm in seiner Hand an. „Ein Helm, der mich vor den Blicken meiner Feinde zu verbergen weiß? Mehr als Gold ist mir das wert."

Der Nibelungen Schatz ist niemandes Glück ...

„Die Nibelungen? Seid ihr das?", rief Siegfried hallend in den Dom. „Dann hört meine Worte – der Bezwinger des Drachen hat das Recht auf seinen Lohn. Doch ich will nicht, dass man mich einen Dieb schimpft. Was ich brauche, werde ich nehmen – und es zurückbringen, wenn es mich auf den Thron von Xanten gebracht hat. Darauf mein Wort!"

Nimm nicht, was nicht dein!

Siegfried war der vagen Reden müde und steckte den Ring an den kleinen Finger seiner linken Hand. Im Gegensatz zum Helm schien kein Zauber durch den Ring zu wirken. Trotzdem fiel es Siegfried keine Sekunde lang ein, ihn den plärrenden Nibelungen zu überlassen. Er hob seine Faust stolz zur Decke. „Mein Ring – meine Macht! Bis ich die Krone von Xanten trage!"

Und wie einer Krone wird die Gier ihm folgen ...

Siegfried hörte nicht mehr auf die Unheil verkündenden Stimmen. Er legte den Tarnhelm und Nothung beiseite, um sich vor der Höhle Holz für einen Karren oder Schlitten zu suchen, auf dem er seinen neuen Reichtum nach Worms bringen konnte.

Was er nimmt, wird er nicht mehr zurückbringen ... können ...

Aus: Wolfgang Hohlbein, Der Ring der Nibelungen, Heyne Verlag, München 2004, S. 228–233, gekürzt

6 Und noch mehr

Literatur
Hagen von Tronje von Wolfgang Hohlbein, Heyne Verlag, München 2004
Der Herr der Ringe von J.R.R. Tolkien, Klett-Cotta, Stuttgart 2000
Siegfried und Krimhild von Jürgen Lodemann, dtv, München 2005

Filme
Die Nibelungen – Siegfrieds Tod & Kriemhilds Rache
Die beiden Stummfilme entstanden 1923/24 unter der Regie von Fritz Lang, Deutschland
Die Nibelungen: Der Fluch des Drachen, Regie: Uli Edel, Deutschland 2004

Kultur
Jedes Jahr im August finden vorm Wormser Kaiserdom die Nibelungenfestspiele statt.
Informationen unter: www.nibelungenfestspiele.de

Das 2001 in Worms eröffnete Nibelungenmuseum bedient sich der modernen Medien von heute, um die Geschichte dieses Epos zu erzählen – es ist ein virtuelles Museum.
Informationen unter: www.nibelungenmuseum.de

III Entstehung und Überlieferung

1 Ort und Zeit

Das Nibelungenlied wurde etwa um 1200 geschrieben. Wir wissen nicht, wer es verfasst hat. Wegen der großen Bildung und
5 Belesenheit, die der Dichter beweist, könnte er ein Mann der Kirche gewesen sein, vielleicht war er aber auch ein Ritter. Wie seine Ortsbeschreibungen zeigen, scheint er sich im Raum um Passau besonders gut auszukennen; wir vermuten deshalb, dass er aus dieser Gegend stammt oder zumindest hier gelebt hat.
10 Das Nibelungenlied erfreute sich in der Ritterzeit größter Beliebtheit und wurde deshalb in zahlreichen Handschriften kopiert. Mit dem Ende der Ritterzeit erlosch das Interesse an dieser Art von Geschichten. So war das Nibelungenlied im 17. Jahrhundert gänzlich unbekannt.
15 Erst im 18. Jahrhundert begann man sich wieder für diese Geschichten aus alter Zeit zu interessieren und forschte nach den alten Handschriften, die an unbekannten Orten verstaubten. 1755 wurde die Handschrift C in Schloss Hohenems in Vorarlberg entdeckt, kurz danach die beiden anderen. Ein Abdruck der Hand-
20 schrift C befindet sich auf S. 187

Isolde Schnabel

Faksimiledruck der Handschrift C

2 Âventure

Uns ist in alten mæren wunders vil geseit
von helden lobebæren, von grôzer arebeit,
von fröuden, hôchgezîten, von weinen und von klagen,
von kuener recken strîten muget ir nu wunder hoeren sagen.

Ez wuohs in Búrgónden ein vil édel magedîn,
daz in allen landen niht schœners mohte sîn,
Kriemhilt geheizen: si wart ein scœne wîp.
dar umbe muosen degene vil verliesén den lip.

Aus: H. de Boor (Hrsg.), Das Nibelungenlied, F.A. Brockhaus, Wiesbaden 1965

3 Hier spricht der Dichter

Die Welt sah anders aus als heute, damals, vor achthundert Jahren, als ich diese Geschichte aufgeschrieben habe. Ich? Ja, ich, der Dichter des Nibelungenlieds. Ich spreche zu euch aus dem
5 Jenseits, aus dem Reich der Toten ...
Seit Jahrhunderten verfolge ich aufmerksam, was ihr, die Lebenden, mit meiner Geschichte macht und wie ihr sie deutet. Ich habe gesehen, wie ihr euch von ihr inspirieren ließt, um daraus eine Unmenge weiterer Kunstwerke zu schaffen: Bilder, Musik,
10 Filme ...
Ich habe an der Wende vom 12. zum 13. Jahrhundert diese merkwürdige Geschichte verfasst. Auch wenn ich sie nicht erfunden habe; das hat übrigens niemand ... Meine Helden Siegfried, Kriemhild, Hagen, Brünhild und all die anderen haben wirklich
15 gelebt. Nicht zu meiner Zeit, beileibe nicht! Als ich noch Haut auf den Knochen hatte, waren die Helden schon einige hundert Jahre verschwunden. Die Leute hatten sich von deren Abenteuern erzählt; das lief von Mund zu Mund, sieben Jahrhunderte lang. Die verrücktesten Versionen wurden da verbreitet. Und jeder be-
20 hauptete, die Wahrheit zu erzählen. Deshalb habe ich mich erst einmal umgehört, bevor ich irgendetwas aufgeschrieben habe. Ich bin auf die Jahrmärkte und in die Wirtshäuser gegangen und immer wieder auch an die Höfe der Fürsten, zu allen Plätzen, wo man sie vorgetragen hat. Ich habe alles geprüft, alles verglichen
25 und nach bestem Wissen und Gewissen das herausgezogen, was mir richtig schien. Am Ende stand das Nibelungenlied auf dem Pergament, zum ersten Mal. So habe vielleicht auch ich dazu beigetragen, dem Mythos Gestalt zu geben: ... Aber bin ich dafür verantwortlich, was nach meinem Tod durch all die geschah, die
30 sich seiner bemächtigten? ...
Zu meiner Zeit war es üblich, dass der Autor eines Heldenepos unbekannt blieb. Demütig führte ich Protokoll über wirkliche Ereignisse. Dafür besaß ich alle dichterische Freiheit, um die Fakten zu verbinden. Mit meinen Worten habe ich all die Helden wieder

zum Leben erweckt, und ihre Äußerungen entspringen meiner Fantasie. Mein Nibelungenlied ist also gleichzeitig Geschichtsbuch und Dichtung.

Ich habe in meinem Werk die Gegend von Rhein und Donau mit großer Sorgfalt beschrieben und die Namen der Dörfer und Festungen genannt, die an ihren Ufern errichtet waren. Von vielen Szenen habe ich berichtet, die den Geist dieser Orte beschwören. Dank meines Werkes haben sich die Nibelungenzüge den Menschen tief ins Gedächtnis gegraben.

Aus: Olivier Auber, Das Buch des anonymen Dichters, Museumsführer des Nibelungenmuseums Worms 2001, S. 29 ff., gekürzt

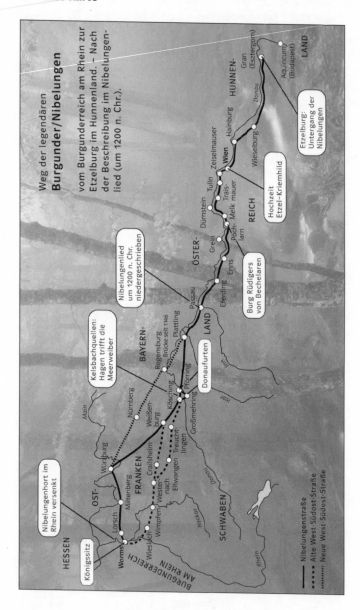

Weg der legendären
Burgunder/Nibelungen

vom Burgunderreich am Rhein zur
Etzelburg im Hunnenland. – Nach
der Beschreibung im Nibelungenlied (um 1200 n. Chr.).

Nibelungenlied
um 1200 n. Chr.
niedergeschrieben

Kelsbachquellen:
Hagen trifft die
Meerweiber

Nibelungenhort im
Rhein versenkt

Donaufurten

Burg Rüdigers
von Bechelaren

Hochzeit
Etzel-Kriemhild

Etzelburg:
Untergang der
Nibelungen

HUNNEN-LAND

ÖSTER-REICH

BAYERN-LAND

OST-FRANKEN

SCHWABEN

HESSEN

BURGUNDERREICH AM RHEIN

Königssitz

Aquincum
(Budapest)

Gran
(Esztergom)

Hainburg
Hamburg
Wieselburg
Wien
Zeiselmauser
Tulln
Traismauer
Dürnstein
Pöch-
larn
Melk
Grein
Enns
Eferding
Passau
Plattling
Regensburg
Brücke seit 1146
Pföring
Köfching
Großmehring
Treucht-
lingen
Ellwangen
Wester-
nach
Wimpfen
Wieslach
Crailsheim
Weißen-
burg
Nürnberg
Würzburg
Miltenberg
Lorsch
Worms

Donau

Main

Isar

Inn

Rhein

Naab

Altmühl

Naskal

— Nibelungenstraße
▬ Alte West-Südost-Straße
‥‥ Neue West-Südost-Straße

IV Am Königshof

1 Die Etzelburg

2 Höfische Erziehung

Gewöhnlich begann für die Jungen mit sieben Jahren der „Ernst des Lebens". Zu diesem Zeitpunkt setzte nämlich die Erziehung für den eigentlichen Beruf ein. Das konnte aber in einer ritterlichen Familie nichts anderes sein als die Vorbereitung auf den ritterlichen Stand und auf die Aufgaben als Krieger. So kam es also – im Gegensatz zu heute – weniger darauf an, wenigstens ein gewisses Maß an Wissen zu vermitteln, sondern auf praktische Fähigkeiten und Gewandtheit im Waffenhandwerk und die Hinführung zu höfischem Betragen.

„Höfisch", das ist das Zauberwort; der königliche oder fürstliche Hof und das Leben dort galten als das Ideal, das man anstreben sollte. Dort wurde die feine Sitte gepflegt, im Gegensatz zum Dorf, der Stätte flegelhafter Manieren und tölpelhaften Wesens. (…)

Mussten die Jungen und Mädchen „Zucht" lernen, so umfasst dieser Begriff die Erziehung zur Sittlichkeit, Bescheidenheit, Selbstbeherrschung und zu äußeren feinen Sitten. (…)

Zum guten Umgang gehörte auch die Kenntnis der höfischen Spiele, ein wenig Musik und nicht zuletzt Sprachkenntnisse, vor allem des Französischen. Die französische Gouvernante ist nicht etwa erst eine Erfindung der vornehmen Familien des 19. Jahrhunderts, denn schon siebenhundert Jahre früher pflegte man in Deutschland Franzosen als Kindererzieher zu engagieren. Es konnte durchaus vorkommen, dass ein Ritter zwar nicht schreiben, aber Französisch sprechen konnte.

Überhaupt ist das Schreiben und das Lesen nicht gerade der Ritter Fach gewesen. Natürlich erlernten manche Knaben und Mädchen das Schreiben, indem sie auf kleinen Wachstäfelchen die Buchstaben mit dem Griffel nachritzten, aber nur die wenigsten haben es in dieser Kunst weit gebracht. Vor allem bei den Männern gab es zahlreiche Analphabeten. (…)

Bei den Frauen war es, was die Allgemeinbildung betraf, etwas besser bestellt. (…)

Wenn die jungen Mädchen auch in den Wissenschaften genauso erzogen wurden wie die Knaben (…), so bereiteten sie sich doch oft fleißig auf ihren Beruf als zukünftige Hausfrauen vor und erlernten das Nähen, Spinnen und das Anfertigen feiner Handarbeiten. Man konnte nicht einfach zum Schneider gehen und sich einen Anzug anfertigen lassen. Männer- wie Frauenkleidung mussten von der Burgherrin, ihren Mädchen und den Mägden selbst genäht werden. So ist es durchaus verständlich, wenn die Mädchen daheim in allen diesen weiblichen Künsten so sorgfältig ausgebildet oder sogar an einen größeren Hof geschickt wurden, um dort auf ihre Hausfrauenpflichten vorbereitet zu werden. Sie gehörten dort zum Gefolge der Fürstin und begleiteten diese auf ihren Wegen, da es als unschicklich galt, dass eine Dame allein

Zwei Knaben beim Ritterpuppenspiel, einem raffinierten Spielzeug. –
Darstellung aus Herrad von Landsberg „Hortus deliciarum", um 1180.

ausging. Im Übrigen wurden die Mädchen sehr streng gehalten
und trafen nur selten mit den Männern zusammen. (…)
Auch von der Heilkunst sollten die Frauen etwas verstehen, kam
doch später oft genug einmal der Gemahl von einem Turnier
oder aus dem Kampf zerschunden und zerschlagen nach Hause. 5
Dann musste rasch eine Hilfe zur Hand sein. Dass in einer Zeit,
da Frauen auch häufig auszureiten pflegten, Mädchen wie Knaben mit Pferden umzugehen lernten, muss wohl nicht besonders
hervorgehoben werden. (…)
Wie bei den Knaben wurde auch bei den Mädchen viel Wert auf 10
das Erlernen der höfischen Anstandsregeln gelegt. So galt es für
unschicklich, mit großen Schritten einherzugehen, umgekehrt
durfte ein Mädchen auch nicht trippeln; den Blick musste es ge-
senkt halten, es sollte ja nicht einen fremden Mann anblicken
oder ihn gar zuerst ansprechen. Lautes Sprechen oder Lachen 15
ziemte sich ebenfalls nicht. (…)
Für den Knaben begann schon in frühester Jugend die Erziehung
zum Waffenhandwerk. Wenn es der Vater dabei irgendwie er-
möglichen konnte, vertraute er den Jungen einem befreundeten
Ritter an. (…) 20
Der Knabe musste sich daran gewöhnen, Strapazen und Entbeh-

rungen zu ertragen. Er lernte Reiten, Laufen, Klettern, Schwimmen, Springen und, vor allem, mit den Waffen umzugehen. Anfangs diente ihm als Waffe wohl ein hölzernes, später ein stumpfes Schwert, das so genannte „Schirmschwert". Auch Rin-

5 gen musste er lernen, um den Gegner beim Kampf unterlaufen und so besiegen zu können. (...)

Schließlich gehörte noch das Üben mit der Lanze zur Ausbildung, wobei die Jungen entweder mit stumpfen Waffen einem Gegner entgegentraten oder, wie man es vor allem in Frankreich zu tun

10 pflegte, mit spitzen Lanzen zu Pferd gegen Panzer und Schild anrannten, die an einem starken Pfahl befestigt waren. Hatte der Knabe einmal die nötige Geschicklichkeit im Einzelkampf erlangt, übte er mit den Gefährten zusammen und lernte, mit ihnen gemeinsam zu reiten und zu kämpfen, um einmal an den

15 großen Turnieren oder später im Krieg auch zusammen mit den anderen angreifen zu können.

Mit zwölf Jahren wurden die Knaben auch schon an größere Höfe geschickt. Dort setzten sie ihre Waffenübungen fort, hatten aber noch andere Dienste zu verrichten, wie etwa Gäste zu empfan-

20 gen, bei Tisch zu bedienen oder ihren Herrn zu begleiten. Sie hießen dann Knappen und standen unter der Aufsicht eines älteren und erfahrenen Genossen, des Meisterknappen. Diese Knappen mussten sogar mit in den Krieg ziehen, durften aber noch nicht mit dem Schwert kämpfen, sondern erhielten als Waffe eine ei-

25 senbeschlagene Keule. Ihre Ausbildung endete mit dem Tag ihrer Schwertleite. Aus dem Knaben war ein Mann geworden, den der Herr für seine treuen Dienste belohnte und der nun in feierlicher Form Aufnahme in die Gemeinschaft der Ritter fand.

Aus: Heinrich Pleticha: Ritter, Burgen und Turniere, Arena Verlag, Würzburg 1969, S. 61–65, gekürzt

3   Bericht von einem Turnier

Am Montag bei Tagesanbruch diente man Gott und hörte die
Messe hier und dort singen. Dann entstand in den Gassen überall
ein großes Gedränge von den Knechten. Der Lärm der Posaunen,
Flöten, Hörner und Trommeln war groß. Die Herolde freuten sich   5
und riefen überall aus: „Zieht aus, edle Ritter, zieht mutig aus, die
Boten der Frauen sehen es, zieht freudig auf das Feld, dort liegt
der Preis für die Liebenden." Mit Schall zogen wir aus der Stadt.
Jeder Anführer der Rotten bat die Seinen, eifrig Acht zu geben; er
sprach: „Wenn wir heute zueinander halten, können wir wahrlich   10
Ehre erringen, lasst euch nicht unterkriegen."
Als die Ritter auf dem Felde waren, bot das einen herrlichen
Anblick, man sah die reichen lichten Banner, die Speere nach
dem Wunsch der Ritter verschieden bemalt, die Helme prächtig
geschmückt. Die blitzenden Helme, die schimmernden Schilde   15
blendeten manchen so, dass er kaum etwas sehen konnte, die
leuchtenden Farben der Rüstungen wetteiferten mit der Sonne.
Da ritten die Rotten aufeinander zu, und als sie kaum Rosselaufes
weit auseinander waren, kam die Zeit für den Kampf. Man gab
den Rossen die Sporen, zu kräftigem Stoß sprengten die Ritter   20
aufeinander los, Mann und Ross sah man stürzen. Mächtig krach-
ten die Speere, heftig stießen die Schilde aneinander, davon
schwollen die Knie. Beulen und Wunden von den Speeren gab
es genug, die Panzerringe bereiteten Schmerzen und manches
Glied war verrenkt. Die Ritter drängten hin und her und ver-   25
suchten, den Gegner zu Fall zu bringen. Mancher Helm brach
ab, dort drängten sich die Ritter um einen, der gefangen werden
sollte. Klingend schlugen Schwerter auf Helme. Viele Schilde zer-
brachen von den heftigen Stößen.
Das Turnier war wirklich gut. Manch hochgemuter Ritter durch- 30
brach mit einem Stoß den Haufen. Man verstach viele große
Speere, und wer durch sie zu Boden gefällt wurde, der litt viel
Schmerzen durch Tritte. Man verstach wohl tausend Speere, so
mancher Ritter wurde Gefangener, an hundertfünfzig gute Ritter

Codex Manesse, Zweikampf mit Lanzen, Zürich 1310, Buchmalerei

verloren ihre Pferde. Des einen Verlust war des anderen Gewinn;
so ging der Tag mit Kämpfen hin. Mancher nahm müde den Helm
ab, andere turnierten noch so, als ob sie gerade erst begonnen
hätten, ihnen dünkten der Tag und das Turnier zu kurz. So gingen

die Meinungen auseinander, die einen wollten weiterkämpfen, die anderen waren ganz erschöpft.

Das Turnier dauerte den ganzen Tag, niemand tat etwas anderes, wie früh man auch begonnen hatte, nun senkte sich der Abend nieder. Wir banden die Helme ab und zogen alle in die Stadt, jeder in seine Herberge. Da waren für die Ritter schöne Bäder gerüstet, mancher wurde vor Müdigkeit ohnmächtig, hier verband man den einen, dort salbte man den andern, dem dort die Arme, dem hier die Knie. Mancher fiel um vor Schlaf, den anderen quälten die Gedanken: Wie habe ich heute abgeschnitten?

Dann kam der nächste Tag. Da mussten alle Gefangenen zu den Juden gehen und mussten allerlei köstliche Pfänder versetzen. Wer aber etwas gewonnen hatte, der war froh und hochgemut.

Aus: Heinrich Pleticha, Ritter, Burgen und Turniere, Arena Verlag, Würzburg 1969

„Ha", rief Herr Fips, „was kann es schaden,
ich tu das auch mal: Ich geh baden!
Füllt mir die Wanne, seid so gut,
mit frischem, warmen *Drachenblut!*
Dann bin ich" – (was in aller Munde war!) –
„genau wie Siegfried *unverwundbar!*"

Ein Trog wurde herbeigeschafft,
den füllte man mit Drachensaft –
denn Drachen gab's zu der Epoch
in jeder Menge, noch und noch!

Als nun Herr Fips dem Bad entstieg
(vor Augen schon den großen Sieg!),
da merkte unser Rittersmann:
Er hatte noch die Rüstung an …

Schlussfolgerung:
Wer baden geht, egal in was,
der tue unbekleidet das.

Geschichten
um
Ritter Fips
von
Fipsenstein

Aus: Heinz Erhardt, Das große Heinz-Erhardt-Buch, Bertelsmann,
Gütersloh, S. 256

V Geschichte und Sage: Die Burgunder und die Hunnen

1   Zur Geschichte der Burgunder

2. Jh. v. Chr. Die Burgunder verlassen ihre Heimat Skandinavien und siedeln sich im Gebiet zwischen Oder und Weichsel an.

2. Jh. n. Chr. Der Hauptmann der Burgunder tritt eine Wanderung nach Westen an; Vorstoß bis in die Gegend südlich des Mains.

Neujahrsnacht 406/407 Die Burgunder überqueren zusammen mit Vandalen, Alanen und Sueben den Rhein.

413 Die Burgunder werden Bundesgenossen Roms; sie sind verpflichtet, an der Reichsverteidigung teilzunehmen und Kontingente für die römischen Legionen zu stellen.

Als Siedlungsgebiet wird ihnen der Raum Worms-Mainz zugewiesen.

413–443 Burgunderreich am Rhein, möglicherweise mit der Hauptstadt Worms; Herrscher ist König Gundahar aus dem Geschlecht der Gibiche.

435 Das Anwachsen der Bevölkerungszahl veranlasst König Gundahar zu einem Eroberungsfeldzug in die römische Provinz Belgica I.

Gundahar unterliegt im Kampf einem römischen Heer unter dem Feldherrn Aëtius.

437 Aëtius lässt das Wormser Burgunderreich durch hunnische Hilfstruppen vernichten. König Gundahar findet in der Schlacht den Tod.

443 Der größte Teil der überlebenden Burgunder wird in Gebiete am Genfer See und im heutigen Savoyen umgesiedelt.

451 Die Hunnen unter ihrem König Attila (= Etzel) rücken nach Gallien vor. Mit ihnen ziehen die von ihnen unterworfenen Germanenstämme (Ostgoten, Gepiden, Heruler und die am Rhein verbliebenen Burgunder).

Aëtius versucht das Vordringen der Hunnen aufzuhalten: Es kommt zur Schlacht auf den Katalaunischen Feldern, in der auf Seiten der Römer die Westgoten, Alanen, Franken und die Burgunder vom Genfer See kämpfen.

Der verlustreiche Kampf endet mit der Niederlage der Hunnen.

532 Sieg der Franken über die Burgunder.

534 Das Burgunderreich geht im Frankenreich auf.

Isolde Schnabel

2 Attila aus der Sicht eines byzantinischen Geschichtsschreibers

„Stolz schritt er einher und ließ seine Augen hierhin und dorthin schweifen, wobei sein Machtbewusstsein in einem gestrafften Körper sich ausprägte; den Krieg liebte er, aber er vermochte sei- 5
nem Arm Einhalt zu gebieten; gewaltig war er im Rat und im Pla-
nen, aber den Bittenden schenkte er Gehör, und wen er einmal
unter die Seinen aufgenommen hatte, dem blieb er ein gütiger
Herr; von kurzer Statur, breiter Brust, mächtigen Hauptes, schlitz-
äugig, mit spärlichem und grauem Barthaar, plattnäsig und dun- 10
kelhäutig besaß er alle Merkmale hunnischer Herkunft". Aber er
plante Großes und traute es sich zu, fährt der Bericht fort. Anlass
dazu habe das Schwert des Kriegsgottes gebildet, das ein Hirte
gefunden und Attila gebracht hatte. Jetzt habe er vermeint, zum
Herrn der Welt berufen zu sein: Das Recht zum Krieg und die 15
Macht dazu sei ihm durch jenes Schwert gewährt worden.

**Aus: Franz Altheim, Die Geschichte der Hunnen, Bd. IV, Walter de
Gruyter, Berlin 1959/62, S. 272**

3 Der Gote Jordanes über die Hunnen

Jordanes berichtet um 551 und stützt sich dabei auf die Gotenge-
schichte von Cassiodor, dem Kanzler des Königs Theoderich.

„Um das Jahr 375 brach das Volk der Hunnen, das unvorstellbar
roh und wild ist, gegen die Goten los … Sie kannten keine Be-
schäftigung außer der Jagd; nur die Ruhe ihrer Nachbarvölker
störten sie durch Raub und Hinterlist. – Sobald sie jenen Sumpf
(das Asowsche Meer) überschritten hatten, rissen sie wie ein Wir-
belwind die Völker, welche die Küste in jenem Teil von Skythien
(Landschaft am Schwarzen Meer) bewohnten, mit sich fort. Sie
suchten auch die Alanen, die ihnen im Kampf gewachsen waren,
aber an Gesittung, Lebensweise und körperlicher Schönheit weit
über ihnen standen, mit wiederholten Kämpfen heim und un-
terwarfen sie. Denn sie erfüllten auch diejenigen, denen sie im
Krieg vielleicht nicht überlegen waren, durch das Schreckliche
ihres Anblicks mit Entsetzen … Sie sind nämlich von schrecklich
dunkler Farbe und haben, wenn man so sagen darf, kein Gesicht,
sondern dafür nur einen abscheulichen Klumpen und eher Punkte
als Augen. Ihre Wildheit verrät schon ihr grässlicher Anblick, da
sie sogar ihren Kindern gleich am Tag der Geburt ihre Grausam-
keit zeigen, denn sie schneiden sie mit Eisen in die Wangen, um
sie, noch ehe sie Milch genießen, Wunden ertragen zu lehren. Sie
sind unansehnlich, aber flink und ausgezeichnete Reiter. Sie sind
breitschultrig und geübt mit Bogen und Pfeil. Ihr Nacken ist stark
und vor Stolz immer emporgerichtet …"

Aus: Heinz Dieter Schmid, Fragen an die Geschichte, Bd. 1,
Hirschgraben Verlag, Frankfurt a. M. 1976, S. 158

4 Der Römer Ammianus Marcellinus um 390 über die Hunnen

„Sie führen ein so wildes Leben, da sie weder Feuer noch Ge-
würz bei der Zubereitung ihrer Speisen gebrauchen, sondern sich
von den Wurzeln wilder Pflanzen und dem rohen Fleisch aller
beliebten Tiere ernähren, das sie zwischen ihre Schenkel und den
Rücken der Pferde legen und so ein wenig mürbe machen. Sie be-
wohnen kein Haus, sondern vermeiden jedes Gebäude, als wäre
es ein Grab. Nicht einmal Hütten mit einem Rohrdach haben sie.
Sie kleiden sich in leinene Gewänder oder Pelze aus den Fellen
der Waldmäuse, die behaarten Beine decken sie mit Ziegen-
fellen. An ihren hässlichen, doch ausdauernden Pferden sind sie
wie angewachsen. Tag und Nacht leben sie auf ihren Pferden.
Dort schlafen und träumen sie, indem sie sich vornüber auf den
schmalen Hals des Rosses beugen. Niemand bestellt bei ihnen
den Acker, niemand berührt den Pflug. Ihre Karren dienen ihnen
zum Wohnsitz. Was ehrbar oder unehrbar ist, wissen sie so wenig
wie die Tiere des Waldes. Voller Lüge und Tücke sind sie und ohne
alle Religion. Nur unersättliche Goldgier beherrscht sie …"

Aus: Heinz Dieter Schmid, Fragen an die Geschichte, Bd. 1,
Hirschgraben Verlag, Frankfurt a. M. 1976, S. 158

VI Über den Autor

Franz Fühmann wurde 1922 in Rochlitz (heute Tschechien), als Sohn eines Apothekers geboren. Als der 2. Weltkrieg ausbrach, beendete er seine Schulausbildung, wurde Soldat in der deut-
5 schen Wehrmacht und kam schließlich in die russische Kriegsge-fangenschaft. Nach seiner Rückkehr lebte er in der DDR.

Seine Gedichte und frühen Werke haben vor allem die Auseinan-dersetzung mit seinen Kriegserlebnissen und dem Nationalsozia-lismus zum Inhalt. Ab Mitte der sechziger Jahre veröffentlichte er
10 eine Reihe von Kinder- und Jugendbüchern – darunter Werke wie: *Reinecke Fuchs*, *Das Nibelungenlied* und *Shakespeare. Märchen*. Es handelt sich oft um Nachdichtungen aus dem klassischen Fundus der Weltliteratur.

Franz Fühmann war Zeit seines Lebens in der Kulturpolitik aktiv:
15 Er förderte junge Autoren und warb für das freie Arbeiten aller Künstler in der DDR ohne Eingreifen des Staates. Franz Fühmann erhielt eine ganze Reihe nationaler und internationaler Auszeich-nungen. Er starb am 8. Juli 1984.

Bildquellenverzeichnis

Cover/S. 1/160/161: Nibelungen-Festspiele GmbH (Rudolf Uhrig), Worms. **S. 157:** Creativ Collection Verlag GmbH (LF), Freiburg. **S. 173:** AKG, Berlin. **S. 180:** The Swedish National Heritage Board, Stockholm. **S. 5/187:** Badische Landesbibliothek, Karlsruhe. **S. 190:** Klett-Archiv (Andrea Mix), Stuttgart / Corbis (David Muench), Düsseldorf (Hintergrundbild). **S. 191:** Aus: Walter Hansen, Wo Siegfried starb und Kriemhild liebte. Die Schauplätze des Nibelungenlieds. (c) 2004 Deutscher Taschenbuchverlag, München. **S. 193:** aus: Andreas Schlunk, Robert Giersch: Die Ritter, Theiss Verlag, 3-8062-1791-2, S. 21, Stuttgart 2003. **S. 196:** AKG, Berlin. **S. 198:** Lappan Verlag, Oldenburg, aus: Das große Heinz Erhardt Buch, illustriert von Dieter Harzig, Lizenzausgabe mit Genehmigung des Fackelträger Verlags Hannover, für Bertelsmann, Gütersloh, Buch-Nr. 2237, S. 225.

Nicht in allen Fällen war es uns möglich, den Rechteinhaber ausfindig zu machen. Berechtigte Ansprüche werden selbstverständlich im Rahmen der üblichen Vereinbarungen abgegolten.